EEN HUISJE AAN ZEE

Greetje van den Berg

Een huisje aan zee

Uitgeverij Zomer & Keuning

ISBN 978 94 0190 260 1
ISBN e-book 978 94 0190 261 8
ISBN Grote Letter 978 94 0190 262 5
NUR 344

© 2014 Uitgeverij Zomer & Keuning, Utrecht

Omslagontwerp Liesbeth Thomas, t4design

www.romanserie.nl
www.greetjevandenberg.nl

1

Het is nog donker.

Britt Prins is toch al wakker. Nog even duikt ze behaaglijk tot aan haar neus onder haar dekbed. Ze luistert naar het monotone getik van haar wekker, die over een halfuur zal afgaan. In huis heerst doodse stilte. Ze is eraan gewend. Alleen als haar moeder heel vroeg opstaat, is het anders.

Vandaag gaat dat niet gebeuren.

Britt knipt het licht aan en drukt op het knopje van haar wekker om het alarm uit te schakelen. Ze laat zich uit bed glijden. Haar voeten raken de kille vloer.

Gisteren zei haar moeder nog dat het niet eerder op Britts verjaardag zo koud was geweest. 'Maart roert zijn staart,' zei ze. 'Maar dit jaar is het wel heel bar.'

Zachtjes opent Britt de deur van haar slaapkamer. Ze slipt op haar blote voeten de trap af, zet in de kamer de verwarming wat hoger en rommelt in de la van het oude bergmeubel, waar ze een oude, kleurige slinger heeft bewaard, die ze onlangs in de schuur heeft gevonden. Behoedzaam draait ze die rond de rugleuning van de stoel bij de eettafel, waarop zij altijd zit. Vanaf een afstandje bekijkt ze het resultaat. Het is niet zo erg dat de slinger een beetje kapot is. Zo ziet het er best een beetje feestelijk uit.

Jarig!

Britt proeft het woord. Vandaag is ze negen jaar geworden, negen kaarsen op een taart, bijna twee handen vol. Op het aanrecht, in hun open keuken, staat een trommel met cupcakes die ze gisteravond nog met haar moeder heeft gebakken. Straks neemt ze die als traktatie mee naar school.

'Niemand zal kunnen zeggen dat ik geen goede moeder ben,' had haar moeder gisteravond gezegd. 'En ik breng je nog naar school ook. Als ik me goed voel, tenminste…'

Britt luistert. Boven is het nog steeds doodstil. Kennelijk voelt haar moeder zich niet goed. Ze sluit het deksel van de trommel, pakt een pak cornflakes en melk, en zit even later met ijskoude voeten aan de eettafel te ontbijten. Op haar versierde stoel.

Isabel Blankvoort wordt wakker van haar radiowekker. Een populaire dj houdt een te opgewekt praatje over een opzienbarend nieuwtje. Ze legt hem het zwijgen op en draait zich nog eens om. Waarom heeft ze die wekker zo vroeg gezet? Vannacht had ze tot een uur of vier wakker gelegen van haar bovenburen, die kennelijk weer bezoek hadden en dat vierden met luide muziek. Nu heerst daar rust. Voordat ze straks naar haar werk gaat, zou ze daar voor straf belletje moeten trekken.

Haar neus is koud. Ze trekt haar dekbed nog iets naar boven. Langzaam begint het tot haar door te dringen dat Britt vandaag jarig is. Voor schooltijd moet ze haar nog bellen om te feliciteren.

Negen jaar is haar halfzusje vandaag geworden, en Isabel herinnert zich haarscherp hoe ze zich voelde toen Roy Prins, de vader van Britt, haar 's morgens heel vroeg kwam vertellen dat ze een zusje had. Hij had het niet over een halfzusje, en zo voelde het ook niet. Vanaf het begin was Isabel dol op Britt geweest, ook al scheelden ze elf jaar. Ze was niet langer enig kind. Tegelijkertijd drukte de verantwoordelijkheid zwaar. Zij zou voor haar zusje zorgen als Roy en haar moeder weer eens ruzie hadden. Zij zou er voor Britt zijn als haar moeder een moeilijke dag had.

Desondanks was ze twee jaar geleden uit huis vertrokken nadat ze een baan als administratief medewerkster bij een fysiotherapiepraktijk in Arnhem had gevonden, op bijna honderd kilometer afstand van thuis. In die twee jaar had ze een aanzienlijke vriendenkring opgebouwd en haar baan beviel prima, maar toch had ze gedacht dat ze zich vrijer zou voelen nadat ze alles achter zich had gelaten.

De oorzaak was een knagend schuldgevoel dat latent aanwezig was, ook als ze zich verschool achter een muur van vrolijkheid. Zodra ze de stem van Britt hoorde, drukte dat nog meer. Straks zou ze echt bellen. Ze had zo'n leuk idee als verjaarscadeau voor haar halfzusje.

Ze gaapt, duikt dieper onder de dekens. Nog even...

Er zitten vandaag veel klitten in haar haren. Verbeten probeert Britt ze eruit te borstelen. Dat lukt maar half. Op het wekkertje naast haar bed ziet ze dat ze zich moet haasten. Natuurlijk heeft ze weer veel te veel getreuzeld met haar ontbijt.

Ze kijkt naar haar spiegelbeeld. 'Ik ben jarig!' zegt ze hardop en ze grijnst. 'Ik ben nu negen jaar. Vandaag ben ik het feestvarken.' Wat een gek woord is dat eigenlijk: feestvarken. 'Feestvarken,' zegt ze nog eens en met haar vingers drukt ze haar neus omhoog. Ze giechelt omdat ze vindt dat ze op die manier echt op een varkentje lijkt.

Maar nu moet ze heus opschieten. Vanuit de slaapkamer van haar moeder hoort ze ingehouden gesnik. Ze waagt het even om het hoekje van de deur te kijken.

'Mama, ik ga naar school.'

Vanonder een bult kleurig beddengoed houdt het gesnik aan. Britt aarzelt. Zal ze haar moeder nog helpen herinneren dat ze vandaag jarig is? Nee, beter van niet.

Zachtjes loopt ze naar het bed. 'Mama, niet huilen. Het komt wel weer goed. Ik ga nu gauw naar school. Blijf maar lekker in bed.'

'Ach, meisje van me...' klinkt het gesmoord vanonder het schokkende dekbed.

'Ik ga nu, want anders kom ik te laat.' Britt weet dat haar moeder een verhaal vol berouw en beklag zal beginnen als ze nu niet weggaat. Daarna wil ze dan van Britt de bevestiging dat ze toch wel een goede moeder is, en omdat ze daar niet erg van overtuigd is, zal Britt dat op z'n minst drie keer moeten herhalen.

Uiteindelijk zou ze te laat op school komen en dat wil ze niet, juist vandaag niet…

Beneden pakt ze de trommel met cakejes in een grote plastic tas en vertrekt haastig, maar ze voelt zich helemaal niet zo jarig meer.

Een uur later schrikt Isabel ineens wakker. Meteen zit ze rechtop, maar een blik op de wekker leert haar dat ze al te laat is. Britt zal inmiddels naar school zijn vertrokken, en als zij niet opschiet, komt ze ook nog te laat op haar werk. Van daaruit zal ze Britt dan maar een sms'je sturen. Roy heeft haar zusje vorig jaar al een telefoontje voor haar verjaardag gegeven, zodat ze hem kan bellen als er problemen zijn. Zou Britt haar vader in zo'n geval ooit bellen?

Britt klaagt niet snel, en als ze haar verhaal eens kwijt moet of de problemen haar boven het hoofd groeien, belt ze liever naar Isabel. Altijd zijn het verhalen vol herkenning, verhalen die pijn doen en die Isabel diep raken. Zij had vroeger niemand aan wie ze kon vertellen hoeveel problemen er thuis waren. Zij durfde tegen niemand te zeggen dat haar ouders meer dan eens zo'n ruzie hadden dat ze bang was dat ze elkaar iets zouden aandoen. Het vertrek van haar vader deed haar verdriet, maar tegelijk luchtte het op. Eindelijk waren die vreselijke scènes voorbij.

Daarna kwam Roy…

Ze schudt haar hoofd alsof ze daarmee haar herinneringen kwijt kan raken, stapt gehaast uit bed en schiet onder de douche. Haar kleding heeft ze de avond ervoor al klaargelegd. Rillend hijst ze zich in haar broek, en trekt daarop een keurige, donkerrode trui met een kabelmotief aan. Haar flat is koud, maar het zou jammer zijn om nu de verwarming aan te zetten. Ze gaat immers zo weg.

In de keuken smeert ze twee boterhammen, drinkt een beker melk en vertrekt met in haar tas een boterham in een plastic zakje en in haar hand een boterham voor onderweg. Als ze langs de brievenbussen loopt, kan ze het niet laten en drukt snel op de bel van haar bovenburen. Breed grijnzend gaat ze ervandoor.

Het duurt nog tot het einde van de morgen voordat Isabel er eindelijk aan toekomt om Britt per sms te feliciteren: *Lieve meis, van harte gefeliciteerd met je verjaardag! Een fijne dag! Vanavond bel ik je om je echt te feliciteren. Ik heb een verrassing voor je. Je vindt het vast leuk.*
Er volgt geen reactie.

'Wat een stomme cakejes!'
Britt hoort het fluisteren wel.
Ze doet alsof ze niets hoort en loopt rustig met haar traktatie door de klas. Juf Rieneke zei juist dat ze er verrukkelijk en vers uitzagen. 'Heb je ze zelf gemaakt, Britt?' wilde ze weten.
'Dat zijn geen cupcakes,' gaat de stem zachtjes verder. 'Ze zijn niet eens versierd. Bah… ze zijn ook nog vies…'
Iemand hoest hard en overdreven, er klinkt onderdrukt gegiechel.
Juf lijkt niets in de gaten te hebben, maar Britt hoort elk woord alsof er geschreeuwd wordt. De cakejes in de trommel verliezen hun glans, net zoals de blauwe kartonnen broche met de grote goudkleurige negen die juf vanmorgen op haar borst heeft gespeld.
Britt weet wel wie er fluistert. Zoals altijd is het Daphne, die bij haar in de straat woont en die zegt dat Britts moeder gek is, en zijzelf net zo goed. Daphne probeert haar altijd buiten te sluiten. Dat kost niet heel veel moeite. Na schooltijd loopt Britt altijd zo snel mogelijk naar huis. Het is ondenkbaar dat ze iemand zal vragen om bij haar te komen spelen. Nooit weet ze van tevoren hoe haar moeder zich voelt, en soms doet haar moe-

der ook gek. Hartstikke gek.

'Lekker!' zegt Kiki van Oosten, die als laatste een cakeje uit de trommel pakt en er meteen een grote hap van neemt. Haar donkere ogen twinkelen, maar ze zijn niet in staat om de druk van die gefluisterde woorden van even daarvoor weg te nemen. Dat lukt ook niet als Kiki later met Britt mee door de school gaat. Meesters en juffen uit de andere groepen feliciteren haar en ze krijgt complimenten over de cakejes die er zo heerlijk uitzien. Maar de woorden van Daphne kleuren alles donker en niets is in staat om de glans aan de dag terug te geven.

Daar is hij weer!

Isabel zet zich schrap. Ze had zijn naam al bij de afspraken voor het einde van de morgen ontdekt. Nu staat hij met een brede glimlach voor haar.

'Wat fijn je te zien. Je bent voor mij de warmte op deze kille dag, een kleurige bloem in de huidige grijsheid.'

Ze wil helemaal niet om zijn belachelijke woorden lachen, maar als vanzelf trekt er een glimlach rond haar mond. 'Zoals gebruikelijk kun je in de wachtkamer plaatsnemen.'

'Heb je over mijn nederige verzoek om samen ergens iets te drinken nagedacht?' Hij buigt zijn lange lichaam over de balie.

'Nee,' reageert ze beslist. 'En ik ben ook niet van plan om erover na te denken. Het is niet de bedoeling dat ik hier afspraakjes met cliënten maak. Dat zou bijzonder onprofessioneel zijn.'

'Maar buiten werktijd mag toch wel?' Zijn blauwe ogen zuigen zich aan haar gezicht vast.

Ongemakkelijk kijkt ze van hem weg.

'Als ik dat verzoek vandaag na vijven nog eens herhaal?'

'Ik moet het ook nog willen,' zegt ze voorzichtig. 'En ga er maar niet van uit dat ik daar behoefte aan heb.'

'Meneer Langebeke...' Ze wordt gered door Freek, de fysiotherapeut die hem behandelt voor een sportblessure in zijn onderbeen.

'Jammer,' zegt hij voordat hij samen met Freek vertrekt.

Tegen de tijd dat de behandeling ten einde loopt, zorgt zij dat ze niet achter de balie zit.

De lege trommel bonkt met elke stap die Britt doet tegen haar benen. Met haar vrije hand veegt ze steeds door haar ogen, die door de gure oostenwind maar blijven tranen. Achter zich hoort ze de voetstappen van Daphne. Britt loopt sneller, maar Daphne versnelt ook.

'Hé, heb je niet meer van die lekkere cakejes?'

Britt hoort wel dat Daphne het helemaal niet meent. Ze houdt zich doof en loopt verder.

'Heb je die echt samen met die stomme moeder van je gebakken?'

Britt perst haar lippen op elkaar. Nog even volhouden, zwijgen, doorlopen.

'Heeft ze erin gespuugd? Want dat doen gekken, hè? Die spugen overal in.'

Daphne loopt nu vlak achter haar, en Britt weet niet wat er plotseling in haar vaart, maar ineens staat ze stil, zodat Daphne bijna tegen haar aanbotst. Met de plastic tas, waarin ze de lege trommel vervoert, haalt ze uit. Het blik klinkt hol als het tegen Daphnes hoofd klapt. Even schrikt Britt van zichzelf en van het hysterische gekrijs van Daphne, dan komt ze weer bij zinnen.

'Mijn moeder is niet gek,' zegt ze met nadruk, voordat ze het laatste stukje naar huis sprint.

'Mijn prachtige, jarige dochter!' Tot haar verrassing wordt Britt in de gang al door haar moeder opgevangen.

'Van harte gefeliciteerd, grote dochter van me. Ik ben zo trots op je! We maken er een fijne dag van. Opa en oma zijn er al en Roy komt vanmiddag ook nog.'

Ze wordt bijna platgedrukt tegen haar moeders magere lichaam, een licht parfum omhult haar en ruikt vertrouwd. Haar moeders stem klinkt opgewekt, aan niets is te merken dat ze de dag zo slecht was begonnen. 'En wat heerlijk dat je op woensdag jarig bent. Vanmiddag hoef je lekker niet meer naar school. Wat vonden ze van je traktatie? Heb je wel verteld dat je die gisteravond samen met mij hebt gebakken?'

'Ze vonden het lekker en juf zei dat ik een geweldige moeder heb.'

Britt ziet hoe haar moeder gloeit van trots, maar meteen sluipt er weer onzekerheid in haar houding. 'Zei ze dat echt, Britt?'

'Ja, mam, dat zei ze echt.' Britt lacht een beetje scheef. Ze maakt zich los uit haar ongemakkelijke omhelzing en glipt naar de kamer. Het is heerlijk dat haar grootouders er zijn. Opa en oma Dingemans zijn de liefste mensen op de wereld, samen met Isabel, maar die ziet ze nog minder vaak.

Vanavond bel ik je om je echt te feliciteren, had er in het sms'je van Isabel gestaan dat Britt vanmorgen op school had ontdekt. Woorden die een diepe teleurstelling in haar hadden losgemaakt, want tegen beter weten in had ze toch weer gehoopt dat Isabel op haar verjaardag zou komen. De verrassing die ze in petto heeft, maakt dat niet goed en is zelfs niet in staat om Britts nieuwsgierigheid op te wekken.

Op dit moment wijkt de teleurstelling door de hartelijke ontvangst en felicitaties van haar opa en oma. De oude slinger rond haar stoel is verdwenen, maar daarvoor in de plaats hangen er ballonnen en slingers met gekleurde vlaggetjes in de kamer. Ze is echt jarig.

Voor even is de wereld weer helemaal in orde.

Geen moment heeft Isabel nog aan Bob Langebeke gedacht. Het is ook niet in haar opgekomen dat hij haar in deze kou toch om vijf uur bij haar kleine, knalroze Fiat zou kunnen opwachten. Ze ziet hem pas op het laatste moment en ze steekt haar onvrede niet onder stoelen of banken. 'Jij hier?'

Hoelang staat hij hier al? Hij ziet er tamelijk verkleumd uit.

'Ik mag toch alleen buiten werktijd een afspraak maken?' Boven zijn dikke, zwarte sjaal grijnst hij breed, blaast in zijn handen en wrijft ze tegen elkaar om ze wat op te warmen.

Die jongen heeft werkelijk een bord voor zijn hoofd.

'Heb ik gezegd dat ik daar prijs op stel?'

De grijns wijkt. 'Nee,' reageert hij serieus. 'Sterker nog, ik weet dat je niets in me ziet. Het is ook niet mijn bedoeling om me aan je op te dringen, maar het zit me dwars dat je me geen kans geeft. Je weet niets van me.'

'Het is in ieder geval tot me doorgedrongen dat je iemand bent die zich niet bij z'n verlies kan neerleggen.'

'Mijn moeder noemt me altijd een doorzetter.' Blauwe ogen met donkere wimpers heeft hij. Ze vallen haar ineens op. Verder is hij zeker niet knap te noemen, maar zijn ogen zijn mooi. 'Ik wil je uitnodigen om op vrijdagmiddag na je werk met mij iets te gaan drinken. Meer vraag ik niet van je. Als je daarna nog steeds van mening bent dat je me niet hoeft, leg ik me erbij neer.'

Hij kijkt haar trouwhartig aan.

'Dat beloof je echt?'

Hij knikt.

'Vooruit dan maar. Waar wil je vrijdag afspreken?'

'Hier! Dan stappen we samen in dit gruwelijke roze ding en rijden naar een supergezellig cafeetje.'

Ze aarzelt.

'Je zult er geen spijt van krijgen.'

'Waarom zou ik dat doen? Ik weet niets van je.' Ze geeft zich nog niet gewonnen.

'Juist, en daar gaat het om. Ik wil graag dat je me leert kennen, en andersom zou ik het ook super vinden om meer van jou te weten.'

Ze haalt haar schouders op. 'Goed dan. Ik zie je vrijdag, maar

je belooft me daarna echt met rust te laten?'
'Als jij niet van mening bent veranderd, beloof ik je dat.'
Misschien is dat de enige manier om van hem af te komen, maar als ze in haar auto stapt en ziet hoe hij blijft wachten totdat ze wegrijdt, is ze daar niet zeker van. Ze baalt vreselijk van haar toezegging.

Britt is het voorval met Daphne al helemaal vergeten als er aangebeld wordt. Aan het eind van de middag is haar vader ook gearriveerd en met z'n allen zitten ze aan tafel om te genieten van soep met broodjes.
'Zal ik...?' Ze wil al opstaan, maar haar moeder houdt haar tegen. 'Jij bent vandaag jarig, dus je hoeft niets te doen.'
Britt kijkt haar moeder na als ze de kamer uit loopt. Ze heeft haar mooie jurk aan, een rode met gele figuurtjes, die Britt altijd zo mooi vindt. Het lijkt nu bijna onvoorstelbaar dat ze haar moeder vanmorgen voor schooltijd huilend had achtergelaten. Op het parket in de gang klikken haar hakjes vrolijk in de richting van de voordeur.
Opa wil iets weten over school, maar Britt hoort het niet. Een bekende stem klinkt door de gang, vol verontwaardiging, en naast die stem hoort ze nog een andere.
Britt verschiet van kleur. Het is duidelijk: Daphne en haar moeder staan aan de deur.
'Wat is er aan de hand?' vraagt oma, die haar schrik kennelijk heeft opgemerkt. Maar Britt antwoordt niet. De hakjes van haar moeder komen nu weer richting kamer, en het is net alsof ze de boosheid in haar stappen kan horen.
'Britt... kom eens hier.'
Haar moeder is rood aangelopen.
Met tegenzin laat Britt zich van haar stoel glijden. In de gang ziet ze het behuilde gezicht van Daphne, die met aanstellerige gebaren door haar ogen wrijft, terwijl de moeder van Daphne schreeuwt dat ze die blauwe bult op Daphnes hoofd meteen had

opgemerkt toen ze uit haar werk kwam.

'Heb jij Daphne echt met die trommel geslagen?' wil haar moeder weten.

Britt knikt. Het heeft geen zin om iets anders te zeggen. Het bewijs tekent zich als een verdikte blauwe vlek op Daphnes voorhoofd af. Stiekem doet die plek Britt een beetje goed, maar daar laat ze wijselijk niets van merken.

'Waarom?'

'Zomaar...'

Woede sijpelt door in de stem van haar moeder. 'Zomaar? Zomaar?'

Britt wil niet naar Daphne kijken, naar haar triomfantelijke gezicht. Ze wil niet luisteren naar de stem van Daphnes moeder die roept dat ze er politiewerk van zal maken als Britt nog eens zoiets uithaalt, en dat kinderen als zij niet op een gewone school horen te zitten.

'Bied je excuus aan,' sommeert haar moeder nu. 'Ben jij nou helemaal gek geworden? Je kunt dan wel jarig zijn, maar dat geeft je nog niet het recht...'

'Het spijt me,' probeert Britt zich er snel van af te maken, maar haar moeder staat erop dat ze Daphne de hand drukt en belooft dat ze het nooit weer doet. Haar moeder schijnt de spottende glimlach van Daphne niet op te merken, maar Britt weet dat het morgen op school weer een rotdag zal worden.

Dat haar vader het later voor haar opneemt omdat hij meent dat Britt nooit zomaar iemand anders met een koekblik om de oren zal slaan, en haar opa hem meteen bijvalt, troost haar wel enigszins.

Het loopt al tegen acht uur als Isabel haar zusje eindelijk opbelt. Ze heeft haar telefoontje steeds uitgesteld, want ze weet best dat Britt hoopte dat ze op haar verjaardag van de partij zou zijn. Maar Isabel kon het niet opbrengen. Een bezoek aan thuis bete-kende herinneringen die ze juist trachtte het zwijgen op te leggen, maar hoe vertel je dat aan je jarige zusje?

'Dus je komt echt niet?' Britts teleurstelling is in elk woord hoorbaar, hoezeer ze ook haar best doet om opgewekt te klinken. 'Kom je dan een andere keer?'

'Ik haal je over een poosje op,' belooft Isabel. 'Dat is namelijk mijn cadeau. Ik wil je een weekje aan zee geven, samen met mij. Wat denk je ervan? Ik huur een huisje aan het strand. We kunnen elke dag zwemmen en bij slecht weer gaan we wandelen en naar leuke plekjes in de buurt.'

'Echt?'

'Ik beloof het toch?'

'Nou ja… je zegt ook steeds dat je gauw een keertje komt…'

Woorden die Isabel een diep schuldgevoel bezorgen. 'We spreken het binnenkort echt af,' belooft ze.

Als ze de telefoon allang heeft neergelegd, blijven Britts verongelijkte woorden nagalmen. Met een glas thee gaat ze achter de computer zitten. Ze zoekt naar vakantiehuisjes aan zee, staart peinzend naar het beeldscherm en laat de verschillende locaties, huisjes en prijzen aan zich voorbijglijden.

Waarom had ze deze verrassing voor Britt bedacht?

Britt ging in de zomervakantie altijd een paar weken met Roy op stap. Britt had de herinneringen niet die Isabel in de periode voor de zomervakantie altijd wel plaagden. Heel haar leven had ze al een hekel aan die tijd gehad.

Als schoolkind was dat misschien iets minder dan toen ze ouder werd en ze het toneelspel van haar moeder doorzag.

Op de basisschool had ze nog geloofd dat ze op vakantie zouden gaan. Ze zag de kleurige brochures, de bestemmingen die haar moeder met een ballpoint had aangekruist, de prijzen die ze met elkaar had vergeleken, de datum van vertrek.

Ze pochte soms tegen vriendinnetjes over verre reizen, maar in de loop der jaren werd ze zwijgzaam, want ze vertrokken nooit.

Na een paar keer had ze dat geweten. Soms liet ze zich nog

even meeslepen door het enthousiasme van haar moeder en haar eigen hoop tegen beter weten in, maar nooit voor lang. Stilletjes zag ze in de eerste weken van de vakantie de volgepakte auto's hun straat uit rijden, met jaloezie bekeek ze de caravans en bagagekarretjes voor de garages. Daarna kwamen de weken van verveling als haar vriendinnetjes op vakantie waren.

Toch speelde ze die weken voor de vakantie het spel mee, wijs geworden na die keer dat ze tegen haar moeder had gezegd dat ze de verre bestemmingen niet hoefde, dat een huisje aan zee al goed zou zijn; een huisje aan zee voor een week, of een lang weekend, of een dag of twee. Daarna mocht ze een week lang niet buiten spelen.

Zo was haar moeder.

'Nou ja, je zegt ook steeds dat je gauw een keertje komt,' had Britt haar net aan de telefoon voorzichtig ingewreven.

Verschilde ze misschien minder van haar moeder dan ze zelf altijd dacht?

2

Wat is het onbeschoft koud...

Dennis Blankvoort foetert in zichzelf, terwijl hij de elektrische kachel in zijn oude woonark aan de praat probeert te krijgen. Het is half maart, maar er lijkt dit jaar geen einde aan de winter te komen. Een ijzige oostenwind dringt door de kieren van zijn boot de kamer binnen. Hij blaast in zijn verstijfde handen, maar ook dat brengt geen enkele warmte. In machteloze woede schopt hij tegen de kachel, die met een klap omvalt op de houten vloer vol kringen.

Door en door verkleumd schiet hij in zijn jas, zet de waterkoker aan en zit even later met een beker oploskoffie op de versleten bank te overdenken wat hem te doen staat. Die kachel krijgt hij niet meer aan de praat, dat is zeker. Een nieuwe kachel is op dit moment geen optie omdat hij daar eenvoudigweg geen geld voor heeft.

Had hij maar geld. Dan zou deze oude schuit er een stuk beter uitzien. Het leven is een vicieuze cirkel. Na jaren op deze boot geleefd te hebben, wil hij wel weer eens een huis aan de wal. Het vocht lijkt soms in zijn botten te gaan zitten, en met zijn vijfenveertig jaar voelt hij zich meer dan eens een oude man. Maar voordat hij aan de verkoop van zijn boot kan denken, moet die eerst grondig worden opgeknapt en daarvoor ontbreekt hem het geld. Ooit was hij een succesvolle fotograaf, maar na zijn scheiding van Bianca was het snel bergafwaarts met hem gegaan. Hoe was het mogelijk dat hij niet met en tegelijkertijd niet zonder die vrouw kon leven? Bianca had hem het leven onmogelijk gemaakt. Gek werd hij af en toe van haar, van haar jaloezie, haar manipulaties, haar angsten, drankmisbruik en onvoorspelbare buien. Voor zijn dochter Isabel was hij nog een poos bij haar gebleven, ondanks de ruzies, waarbij hij soms het idee had dat hij haar wel kon vermoorden.

Van die gedachte was hij destijds zo geschrokken dat hij had besloten om Bianca te verlaten. Hij wist zeker dat het de enige juiste beslissing was, maar daarna had hij jarenlang zijn draai niet meer kunnen vinden. Misschien kwam dat ook doordat hij Isabel zo miste. Veel te weinig zagen ze elkaar, omdat hij al snel deze oude woonark in Amsterdam op de kop had kunnen tikken en hij niet in de financiële positie verkeerde om regelmatig naar de Noordoostpolder te gaan, waar zijn gewezen vrouw met Isabel woonde. Een diep, donker heimwee had hem het werken meer dan eens onmogelijk gemaakt, en in die tijd dronk hij te veel. Wat hij Bianca meer dan eens had verweten, had hij nu zelf niet de baas gekund. En drank maakte ook voor hem meer kapot dan hem lief was.

Hij hield zich niet aan afspraken, verscheen soms aangeschoten bij klanten en schoffeerde hen. Zijn foto-opdrachten liepen snel terug. Dat maakte hem bitter, waardoor hij nog vaker naar de drank greep. Langzaam maar zeker richtte hij zichzelf te gronde.

En toen ontmoette hij Christa op een avond in de kroeg waar hij kind aan huis was. Ze was hem niet eerder opgevallen en ze leek er misplaatst. Later bedacht hij dat ze te lief, te zachtmoedig en te onschuldig was tussen die uitbundige kroeggangers. Na een lang gesprek vergezelde ze hem naar zijn boot, maar ze sloeg zijn uitnodiging om daar nog iets te drinken resoluut af. Hij verwachtte haar nooit weer te zien. Maar de volgende dag was ze terug met broodjes en een schaal lasagne, met thee en koffie. Ze zorgde voor een ontbijt, ze ruimde zijn boot op en 's avonds aten ze lasagne.

'Waarom doe je dit?' had hij aan haar gevraagd.

'Omdat ik het gevoel heb dat ik dit moet doen,' was haar eenvoudige antwoord.

Hoewel ze hem dagelijks bezocht, hield ze al die tijd een zekere afstand. Dat weerhield hem er niet van om naar haar komst uit te gaan zien. Tijdens de maaltijden die ze 's avonds altijd gezamenlijk gebruikten, vroeg ze naar zijn leven, naar zijn werk en naar zijn kind. Ondanks haar jeugdige leeftijd voelde hij zich vertrouwd bij haar. Christa mocht alles van hem weten. 'Waarom doe je dit?' had hij haar maanden later nog eens gevraagd.

'Omdat God dat van me vraagt.' Ze glimlachte. 'Misschien klinkt het vaag, maar zo heb ik het ervaren op die avond toen ik je in dat café ontmoette.'

Hij moest ineens aan z'n ouders denken, met wie hij toen nog weinig contact had. Als hij over hen praatte, zei hij altijd dat het 'godvruchtige mensen' waren. In zijn beleving was dat de rake typering voor zijn vader en moeder, van wie hij na zijn huwelijk met Bianca afstand had genomen. Ze waren het niet met zijn keuze eens. Als hij met Bianca op bezoek kwam, probeerden ze hem dat niet te laten merken, maar hij voelde het aan hun stugge houding, hij zag het aan hun gereserveerde gezichten als Bianca iets zei wat hun niet welgevallig was.

Met Christa had hij na die avond regelmatig over het geloof gediscussieerd. Eén uitspraak van haar was hem bijgebleven: 'Als je God kent, ben je nooit alleen...'

Een halfjaar na hun kennismaking was ze ineens weggebleven zonder iets te zeggen. Hij wist meteen dat er iets niet klopte. Ongerust struinde hij de buurt af, zocht in de kroeg waar hij haar voor het eerst had ontmoet, maar vond haar nergens. Op dat moment realiseerde hij zich pas hoeveel zij van hem wist en hoe weinig ze zelf had verteld.

Drie dagen later stond de recherche aan zijn deur. Op de laatste avond dat ze bij hem was geweest, bleek Christa op de terugweg op een rustige plek van haar fiets de bosjes in te zijn getrokken om daar bruut verkracht en vervolgens gewurgd te worden.

De dader was nooit gevonden. Heel even was hijzelf nog verdachte geweest, maar een buurman had hem een alibi verschaft door te verklaren dat hij had gezien dat Christa afscheid nam, nagezwaaid door Dennis.

Hij had zich afgevraagd of God op die vreselijke avond, tijdens dat verschrikkelijke misdrijf, ook bij Christa was geweest. Volgens de predikant die de rouwdienst leidde wel. Hij twijfelde. In die tijd werd hij geplaagd door beelden van haar laatste ogenblikken. Hij stelde zich haar pijn en angst voor en vond het onverdraaglijk. Drank leek een goed verdovingsmiddel, maar vooral door de gedachten aan Christa was hij in staat om die te weerstaan.

Langzaam was hij opgekrabbeld, juist omdat hij in zijn hoofd nog zo vaak haar stem hoorde die hem aanspoorde om zijn leven weer op te pakken. Zo bleef ze het keerpunt in zijn bestaan. Af en toe fotografeerde hij weer. Hij bezocht zijn ouders vaker, deed zijn best hun standpunten te begrijpen. Het leven was doorgegaan en soms hoorde hij het Christa zeggen: 'Als je God kent, ben je nooit alleen...'

Hij zet zijn lege beker op tafel, die vol ligt met allerhande attributen. Voorlopig heeft hij daar helemaal niets aan. God lijkt niet van plan zijn kachel te repareren, en er gebeuren op zijn bankrekening ook al geen wonderen.

Bovendien is het vrijdag en een leeg, ellendig en kil weekend grijnst hem aan. Hij zal het heft zelf in handen moeten nemen.

In een plastic tasje stopt hij een tandenborstel, schoon ondergoed, zijn oude, vertrouwde fotocamera en zijn portemonnee met daarin zijn laatste beetje geld.

Een felgekleurde sjaal en zijn sleetse leren jack moeten de kou buiten nog een beetje weren. Na de deur van zijn woonark zorgvuldig op slot te hebben gedraaid, verlaat hij zijn vertrouwde stek via de loopplank.

De koude oostenwind snijdt door hem heen, maar door het grijs van de dag weet de zon toch heel voorzichtig door te breken.

Hij voelt de warmte op zijn gezicht. Hij voelt de warmte nog als hij bij een van de uitvalswegen van Amsterdam zijn duim omhoogsteekt. Het geluk is vandaag met hem. Binnen een kwartier heeft hij een lift van een man in een bestelbus die onderweg is naar Utrecht. Daar ziet hij wel verder.

Tevreden koestert hij zich even later in de warmte van de bus en de verhalen van de onbekende chauffeur.

Ze is hartstikke gek!

Haar beste vriendin Lauren heeft dat verklaard en Isabel geeft haar groot gelijk. Toch had ze vanmorgen voor ze naar haar werk ging, extra aandacht aan haar kleding geschonken. En toch staat ze nu vlak voor vijven stiekem in een spiegeltje haar make-up bij te werken.

'Je weet dus niets van die jongen?' had Lauren vol ongeloof uitgeroepen toen ze over haar afspraak met Bob vertelde.

'Zijn adres staat natuurlijk wel in onze administratie, en hij ziet er echt niet uit alsof hij me iets zal aandoen,' had Isabel zich niet erg overtuigend verdedigd.

'Wie zegt dat het adres klopt dat hij heeft opgegeven? En ik wil je niet bang maken, maar de meeste seriemoordenaars zien er heel doorsnee uit. Vrijwel altijd zijn het heel onopvallende, saaie mannen, die in hun vrije tijd tot gruwelijke dingen in staat zijn.'

Isabel huivert onwillekeurig, al weigert ze dat in het geval van Bob Langebeke te geloven. 'Als er iets met me gebeurt, weet jij in ieder geval waar de politie moet zoeken,' had ze luchtig tegen Lauren opgemerkt.

Op dit moment heeft ze spijt van haar toezegging. Hoe komt ze toch op het idee om uit te gaan met die jongen? Ze had hem meteen moeten zeggen dat ze niets in hem ziet, dat ze niet wil, geen zin heeft, zoiets... Positief is dat ze met háár auto gaan, zodat ze kan vertrekken wanneer ze dat wil, en ze is zeker niet van plan om het laat te maken. Eén kopje koffie, misschien nog een tweede, maar dan is het wel mooi geweest.

'Spiegeltje, spiegeltje… u bent de mooiste van het land.' De oude meneer De Zwart heeft haar betrapt. Achter hem ziet ze haar baas Freek breed grijnzen. Met een kleur als vuur gaat ze achter de computer zitten om een nieuwe afspraak voor de oude heer te regelen.

Even na vijven staat ze buiten en enigszins opgelucht constateert ze dat er nog geen spoor van Bob te bekennen is. Toch minder betrouwbaar dan ze dacht, schiet het door haar heen als ze achter het stuur van haar auto plaatsneemt en de motor start. Maar als ze in haar achteruitkijkspiegel kijkt, ziet ze hoe hij over het trottoir moeizaam, vanwege zijn blessure, maar toch verbazend snel komt aanlopen. Met een ruk opent hij het portier aan de passagierskant. 'Je was toch niet echt van plan om zonder mij te vertrekken?'

'Natuurlijk niet,' liegt ze met een stalen gezicht. 'Maar het is nog steeds niet warm en ik had geen zin om hier te zitten verkleumen.'

Hij kijkt alsof hij haar niet gelooft, maar schuift toch naast haar. 'Zo, rijden maar.'

'Waarheen?'

'Ik zal je de weg wijzen. Ga eerst maar rechtdoor.' Vanuit haar ooghoek ziet ze hem grijnzen. 'Het spijt me dat jij moet rijden, maar met dat been van me lukt dat bij mij niet echt.'

'We gingen toch alleen maar een kopje koffie drinken?'

'Ja… in een supergezellig cafeetje.'

'Daar zijn er hier genoeg van.'

'Juist, en ik zoek de allergezelligste uit. Bij de verkeerslichten moet je rechtsaf.' Hij lacht hardop. Isabel denkt aan de woorden van Lauren. Bob is geen opvallende man, maar saai is hij niet, en ze kan zich met geen mogelijkheid voorstellen dat hij iets kwaads in de zin zou hebben. Ze zal hem vandaag het voordeel van de twijfel gunnen, en als het helemaal niets wordt, kan ze er na een halfuurtje de brui aan geven en zal hij in ieder geval niet meer aan haar hoofd zeuren.

Van die gedachte fleurt ze op.

'Je intrigeerde me vanaf onze eerste ontmoeting,' zegt Bob een kwartier later als ze zijn neergestreken in een piepklein café dat meer weg heeft van een gemoedelijke huiskamer. 'En ik vraag me steeds af hoe dat komt.'

'Ik ook.' Isabel trekt haar wenkbrauwen op. 'Vanaf je eerste afspraak bij Freek heb je meer dan gewone belangstelling voor me getoond.'

'Je bent hartstikke mooi.'

'Hou op...'

'Nee, echt, ik vind je prachtig en ik verdrink in je mooie ogen, maar daar gaat het niet om. Als ik naar je kijk, lach je, maar achter die lach zit iets anders... iets wat ik niet kan benoemen, maar wat me intrigeert.'

'Hou op met die onzin!'

Hij zwijgt, neemt een slok van zijn koffie, die hij even daarvoor aan de bar heeft opgehaald. 'Je hebt gelijk, ik kraam onzin uit. Ik kan het volkomen begrijpen als je na de koffie direct opstapt. Ik wilde dit niet zeggen. Ik wilde je laten zien dat ik de moeite waard ben, maar misschien wil ik dat te graag...'

'Tsja... daar maak je het niet beter mee.' Ze giechelt en voelt hoe ze nu langzaam maar zeker ontspant. 'Weet je wat? Ik beloof je dat ik na de koffie niet direct opstap. Ik heb namelijk best zin in iets, dus misschien kunnen we hier ook een hapje eten. Beloof jij me dan dat je je vanaf nu gewoon als Bob Langebeke zult gedragen? Ik hoef geen complimentjes, je hoeft geen mooie verhalen achter me te zoeken. Vertel me gewoon eens of je nog broers en zussen hebt, welke studie je doet, of je aardige ouders hebt en of je altijd al in Arnhem hebt gewoond. Zo klink je namelijk niet.'

Ze pakt de menukaart en zoekt de soep van de dag en een tosti uit, terwijl Bob ineens ook veel meer op z'n gemak lijkt en

24

uitvoerig vertelt over zijn jonge jaren in Rotterdam en zijn studie accountancy in Arnhem.

Hij blijkt zeer amusant te kunnen vertellen. Regelmatig schiet ze in de lach om zijn opmerkingen. De tijd vliegt en het is al over negenen als ze bij haar auto afscheid nemen. Van haar aanbod om hem thuis af te leveren, wil hij niets weten. 'Ik woon hier vlakbij, dat stukje kan ik wel lopen.'

'Het was een fijne avond,' zegt Isabel eerlijk.

'Ja hè? Fijn genoeg voor een vervolg?' Van zijn ontspannen houding is ineens niets meer over. Zijn blauwe ogen hechten zich in de hare. 'Je mag het natuurlijk eerlijk zeggen.'

Ze vraagt zich af wat ze voor hem voelt. Dolverliefd is ze zeker niet, maar hij is ongelooflijk aardig, en hij is anders dan de mannen met wie ze normaal omgaat: humoristisch, maar op z'n tijd serieuzer en oprecht belangstellend.

De vraag is of ze dat prettig vindt.

'Ik wil binnenkort wel een avondje met je stappen,' zegt ze nonchalant. 'Gewoon even ergens iets drinken. Een discotheek is ook wel leuk, maar het is bijna onmogelijk om daar een gesprek te voeren.'

'Ik ben saai en hou helemaal niet van disco's en dat soort dingen. Een boswandeling vind ik veel lekkerder dan een middag in de kroeg. Op dit moment is het misschien beter om voor de kroeg te kiezen, ook in verband met mijn blessure.'

'Dan houden we het op een ontspannen kroegavondje met goede gesprekken.'

Hij neemt haar onderzoekend op alsof hij niet kan geloven dat ze het echt meent.

'Binnenkort?'

'Binnenkort... We zien elkaar wel weer in de praktijk.'

'Maar dat zou bijzonder onprofessioneel zijn...' Hij grijnst breed, voordat hij haar een vriendschappelijke kus op haar wang geeft. 'Aanstaande woensdag staat mijn volgende afspraak. Goed weekend verder!'

Hij wacht tot ze wegrijdt. In haar spiegeltje ziet ze hem onder de lantaarnpaal staan en zijn hand opsteken. Glimlachend rijdt ze naar huis.

Ze neuriet als ze een kwartier later haar auto op de parkeerplaats bij haar flat heeft gezet en naar de ingang loopt. Normaal heeft ze 's avonds altijd een hekel aan dit stukje. Vanavond voelt ze zich licht en opgewekt.

In de hal van de flat besluit ze dit keer eens niet de lift naar de vijfde verdieping te nemen. Opgewekt huppelt ze alle treden van de trappen op. In de hal bij de liften op de vijfde verdieping ontdekt ze een man op het verveloze houten bankje dat daar ooit door een van haar medebewoners is neergezet. Achteloos loopt ze hem voorbij, maar als ze via de klapdeuren naar de galerij wil lopen, hoort ze haar naam.

Verbaasd en ook een beetje gealarmeerd blijft ze staan.

'Pa?'

Hij ziet er belachelijk uit met zijn onverzorgde, lange, blonde haar en die smoezelige bonte sjaal.

Dennis komt overeind. Hij grijpt naar z'n rug. 'Waar bleef je toch zo lang? Ik ben hier inmiddels totaal vernikkeld. Ik dacht dat je tegen een uur of halfzes wel thuis zou zijn?'

'Ik had een afspraak,' reageert ze stug. Ze ontwijkt zijn omarming en blijft op afstand staan. 'Wat doe je hier?'

'Kunnen we daar in jouw flat niet over praten?'

'Ik ben moe, ik wil naar bed.'

'Je denkt toch niet dat ik van plan ben om nu weer terug naar Amsterdam te gaan?'

Ineens gaan alle alarmbellen rinkelen. 'Wat had je dan gedacht?' Een felle, warme golf van paniek overspoelt haar. 'Bij mij kun je echt niet logeren.'

'Voor een paar nachtjes maar. Het is stervenskoud op m'n boot omdat die kachel kapot is en ik kan me geen nieuwe permitteren. Na het weekend loopt de temperatuur op.' Hij omarmt zichzelf. 'Waar zou ik anders naartoe kunnen dan naar jou? Ik wil mijn vader en moeder niet met mijn problemen opzadelen en verder heb ik niemand.'

Isabel haalt diep adem. Ze heeft nu al een afkeer van zijn geur, die verraadt dat hij zijn kleding al een tijdje draagt. 'Vannacht mag je blijven,' beslist ze. Met haar ogen tot spleetjes geknepen neemt ze hem op. 'Maar er wordt niet gezopen.'

'Moet een dochter nou zo tegen haar vader praten?'

'Wel als die vader Dennis heet en zijn leven verziekt met alcohol.'

'Pfff, ik drink al tijden niet meer. Zo lang hebben we elkaar niet meer gezien. Jij komt je vader ook nooit eens opzoeken. Ik kan wel weken dood in m'n boot liggen. Geen haan die ernaar kraait...'

Mopperend volgt hij haar over de galerij.

'En jou zie ik alleen maar als je me nodig hebt,' bijt ze hem over haar schouder toe. Haar ontspannen, opgewekte gevoel bij thuiskomst is helemaal verdwenen. De prettige avond met Bob lijkt ineens heel lang geleden. Stille woede zoekt zich een uitweg. 'Waarom zit ik altijd met de rotzooi van m'n moeder opgescheept?' mompelt ze.

'Wat zei je?'

Ze herhaalt haar woorden niet.

Natuurlijk kan ze niet slapen als ze een halfuur later in bed ligt. In de logeerkamer naast de hare kraakt de stretcher. Door de dunne muren hoort ze hem zuchten. Ze verbeeldt zich zelfs dat ze hem nog ruikt. Morgen wil ze zijn kleding wassen, en ze staat erop dat hij onder de douche gaat. Ze verdraagt zijn lichaamsgeur gewoon niet. In dat plastic tasje had hij niet veel meer dan wat versleten ondergoed zitten. Misschien kan hij tijdens het wassen van zijn kleding zolang een fleecedeken om zich heen slaan, want mannenkleding bezit ze niet. Voor weinig geld kan ze morgen bij een textielsuper wel wat nieuw ondergoed op de kop tikken.

Ze draait zich om. Zulke dingen hoor je als dochter niet voor je vader te doen. Hoe komt die man er ook bij om na maanden van stilte ineens voor haar deur te staan? Het was nog een geluk dat hij niet meer dronk. Als kind heeft ze hem meer dan eens laveloos gezien.

Wat een stelletje superouders heeft ze toch. Maar ze wil hem echt niet langer dan een paar dagen in huis hebben. Ze probeert haar verleden hier op afstand te houden, het is niet de bedoeling dat het haar opzoekt.

De nacht is al halverwege als ze eindelijk in slaap valt.

3

'Hoe was je date?' Lauren hangt de volgende morgen al vroeg aan de telefoon. Vanuit de badkamer klinkt het ruisen van de douche, vermengd met opgewekt gezang.

'Leuk.'

'Leuk... Niet meer? Ik mis enthousiasme. Vertel eens wat over die jongen. Is-ie echt leuk? Hebben jullie gezoend? Gaan jullie elkaar vaker zien?'

'We hebben nog geen nieuwe afspraak gemaakt, maar het was wel voor herhaling vatbaar.'

Ze kan haar gedachten niet bij het gesprek houden. Vanmorgen was haar vader al voor dag en dauw uit bed. Toen zij opstond, had hij de tafel al gedekt. In haar eentje deed ze dat nooit. Hij had zelfs eieren gekookt.

'Niet te hard, niet te zacht, maar precies zoals jij ze graag hebt.' Ze wist dat hij verrassing en blijdschap van haar verwachtte. Hij leek op een klein kind en ze herinnerde zich de zaterdagochtenden van vroeger toen hij hetzelfde bij haar moeder deed en net zo keek. Dat kon heel verschillend uitpakken. Regelmatig wekte het de woede van haar moeder op, die zo graag had willen uitslapen, een andere keer beloonde ze hem door hem het bed weer in te trekken. Isabel walgde van de slaapkamergeluiden die ze daarna luid en duidelijk hoorde.

Ze wil die gedachten niet, probeert zich weer te concentreren op haar gesprek met Lauren.

'Maar vertel eens of jullie hebben gezoend...'

'Lau, hou op. Bob is een hartstikke leuke jongen, maar ik ben nog niet straalverliefd of zo.'

In de badkamer wordt de kraan dichtgedraaid. Het gezang gaat over in geneurie.

'Zullen we vanmiddag dan lekker gaan shoppen?' stelt Lauren voor.

Isabel stemt meteen toe.

'Ik haal je op,' gaat Lauren door.

'Ik kom wel naar jou toe.'

Het liefst wil ze Lauren onkundig laten van het feit dat haar vader onverwacht voor de deur stond. Haar vriendin weet lang niet alles van haar situatie. Ze moet er niet aan denken dat Lauren oog in oog met die zwerver met dat lange, onverzorgde haar zou staan en dat zij dan moet gaan vertellen dat die man haar vader is. Alleen al bij die gedachte slaan de vlammen haar uit.

'Ik ben er tegen een uur of twee.'

Als het gesprek is beëindigd, laat ze haar vader weten dat ze ondergoed voor hem gaat halen, dat de wasmachine met zijn kleding draait en dat ze een fleecedeken heeft klaargelegd, die hij om zich heen kan slaan totdat zij weer terug is.

Het is nog rustig in het centrum. In de textielsuper vouwt een verkoopster landerig kindershirts op en legt die op keurige stapels. Werk dat ze de hele dag kan voortzetten, want elke klant lijkt er genoegen in te scheppen om er een chaos van te maken.

Enigszins ongemakkelijk staat Isabel even later tussen het mannenondergoed te trekken. Welke maat heeft haar vader? Hij is zeker niet dik, maar ook niet heel mager. Zou ze met medium goed zitten, of kan ze toch beter large nemen? Ze kiest voor het laatste, pakt ook nog een paar sokken mee en ziet dat de overhemden niet duur zijn. Of is een T-shirt praktischer? Ze twijfelt nog steeds over de maat, maar uiteindelijk legt ze zowel het overhemd als het T-shirt in haar mandje en neemt er ook nog een goedkope spijkerbroek bij. Zo hoeft haar vader niet de hele dag met een fleecedeken om te wachten tot zijn kleren eindelijk droog zijn en kan hij tijdens zijn logeerpartij ook nog eens wisselen.

Van de gedachte dat hij nog wel even zal blijven, raakt ze direct weer van slag. Bitterheid en verontwaardiging strijden om voorrang omdat haar verleden haar steeds weer lijkt in te halen. Is het haar zusje niet die aan de telefoon hangt, dan is het haar vader wel die zomaar van haar verwacht dat hij wel bij haar kan blijven. En die problemen heeft ze uiteindelijk allemaal te wijten aan haar moeder, die van haar leven een puinhoop maakte en de schuld bij een ander legt.

Bij de kassa is ze kortaf tegen de opgewekte verkoopster, die er dan ook maar het zwijgen toe doet. Chagrijnig fietst ze naar huis.

In de keuken geurt de koffie haar tegemoet. Haar vader heeft de televisie aangezet en heeft de deken als een strapless jurk om zich heen gedrapeerd. Het staat belachelijk. Geërgerd gooit ze de kleurige plastic tas op tafel. 'Ik heb wat kleding voor je gekocht.'

In de keuken schenkt ze koffie voor zichzelf in en vult zijn kopje in de kamer bij, terwijl haar vader het krakende tasje opent en de verschillende kledingstukken bekijkt.

'Ik weet niet of ik de goede maat heb meegenomen, maar ik dacht dat het beter iets te groot kon zijn dan te klein.'

'Het is precies goed. Heb je een schaar voor me? Dan kan ik de kaartjes eraf knippen.'

Even later paradeert hij in zijn nieuwe, enigszins ruime kledingstukken door de kamer. 'Wat tof dat je dat voor me hebt meegenomen. Ik betaal je terug als ik weer een klus heb.'

Ze spreekt hem niet tegen. Waarom zou ze hem helpen herinneren aan het feit dat hij vrijwel nooit meer een klus heeft? Dat weet hij zelf ook wel.

Zwijgend zit ze even later in een stoel naast hem naar een zoetsappige kinderfilm te kijken.

'Maken je bovenburen 's nachts altijd zo veel lawaai?' wil hij weten.

'Soms...' Ze plukt aan haar spijkerbroek. 'Maar vannacht heb ik hen niet gehoord.'

'Ik wel. Ze hadden ruzie. Ik dacht dat ze elkaar te lijf zouden gaan.'

'Dat heb ik vroeger zo vaak gedacht.' De woorden ontglippen haar, maar hij reageert niet, staart gebiologeerd naar het scherm. Misschien heeft hij haar niet begrepen. Zij volgt ook maar weer de belevenissen van een klein meisje dat met een toverstokje de hele wereld naar haar hand weet te zetten.

Ineens staat hij op. 'Ik ga even roken.'

Zij blijft zitten en kijkt hem na terwijl hij naar haar balkon vertrekt, waar hij even later met een shagje in zijn hand over de balustrade hangt om naar de wereld onder hem te kijken. Wind speelt door zijn lange, blonde, golvende haar dat nog enigszins vochtig op zijn schouders hangt.

Kinderen in haar klas hadden dat vroeger raar gevonden. Ze had een gekke moeder en een maffe vader, en zij was zelf een stom kind. Keer op keer was het haar ingepeperd. Ze wist nog heel goed hoe ze zich had geschaamd voor haar ouders. Het liefst wilde ze dat ze zich niet op school vertoonden. De uitnodiging voor een kerstavond wist ze een keer achterover te drukken. Haar moeder leek het niet vreemd te vinden dat ze alleen ging. Ze nam als vanzelfsprekend aan dat ze niet mee hoefde. Haar vader vroeg er niet eens naar.

Helemaal alleen zat ze in de kerk. Toen zij met twee klasgenootjes op het podium *Midden in de winternacht* zong, konden haar ouders dus niet voor haar klappen, maar dat woog niet op tegen het feit dat niemand nu kon zeggen dat haar gekke moeder er ook was, of dat haar vader wel een meisje leek met z'n lange haar.

De sigaret is opgerookt. Ze ziet hoe haar vader de peuk met duim en wijsvinger over de balkonrand schiet voordat hij weer binnenkomt.

'Het is nog fris.' De geur van sigarettenrook volgt hem naar binnen en versterkt haar afkeer.

'Stop toch eens met roken,' bijt ze hem toe. 'Nu stink je nieuwe kleren ook alweer een uur in de wind. En zo lekker is het niet om er in deze kou steeds voor naar buiten te moeten. Ik vind het onvoorstelbaar: je kunt je niets permitteren, maar je blijft gewoon doorgaan met het kopen van shag.'

'Als ik kon stoppen met roken, zou ik het doen, maar dit is het enige wat ik nog heb. Bovendien hoor ik van iedereen dat ze toch geen geld overhouden als ze stoppen.'

Zijn stem klinkt verongelijkt.

'Doe het dan niet voor het geld, maar voor je eigen gezondheid.'

'Wat blijft er dan nog voor me over? Ik ben altijd alleen en ik drink niet meer. Roken is het enige waar ik nog van geniet.'

Ze weet er niets meer tegen in te brengen, en schenkt nog maar eens koffie in.

'Pa, waarom zorgde jij er vroeger niet voor dat we eens per jaar op vakantie gingen?'

Vol onbegrip kijkt hij haar aan.

'Ik bedoel... ma had altijd plannen, maar er kwam nooit iets van en jullie wisten hoe graag ik eens een weekje weg wilde.'

Hij haalt z'n schouders op. 'Ik wist niet dat jij zo graag op vakantie ging, en zelf hou ik er helemaal niet van. Laat mij maar lekker thuisblijven.'

'Je wist niet dat ik wel graag wilde?'

Opnieuw dat machteloze gebaar. Hij kijkt haar niet aan. Hij kijkt haar nooit aan als de vragen moeilijk worden. In haar schrijnt een stille wrok. Hoe anders zijn de ouders van Lauren, en van haar andere vriendinnen die ze hier heeft leren kennen. Laurens ouders zoeken hun dochter regelmatig op. Ze nemen altijd iets mee voor haar kamer, of iets om te eten, iets wat haar moeder zelf heeft gebakken. Op aandringen van Laurens moeder was ze een weekend met haar vriendin mee naar Zwolle geweest, waar ze in een mooi, oud pand in het centrum woonden. De moeder van Lauren lachte veel en was allerhartelijkst, maar ze kon ook goed luisteren en was erg geïnteresseerd in de verhalen van Lauren over haar baan bij jeugdzorg. Laurens vader was een rustige man. Hij zei niet veel, maar als hij iets zei, dan was het ook een rake opmerking die tot nadenken stemde. Isabel had het jammer gevonden toen het tijd werd om afscheid te nemen, maar ze had Laurens moeder moeten beloven dat ze nog eens terug zou komen. Ze wil best. Misschien moet ze het gewoon nog eens aan Lauren voorstellen. Of is dat een vreemd idee, omdat zij op haar beurt nooit eens vraagt of Lauren met haar mee op bezoek gaat in de Noordoostpolder of in Amsterdam? Ze hoopt zelfs nog steeds dat Lauren deze dagen niet spontaan komt aanwaaien. Vertrok haar vader maar weer...

Moet je hem nu toch eens onsmakelijk aan zijn gele vingertop zien pulken. Ze walgt ervan.

'Misschien had je me gewoon moeten zeggen dat je graag met vakantie wilde. Dan had ik er rekening mee kunnen houden.'

Ze krijgt de neiging om woedend uit te vallen, maar ze houdt zich in. 'Ik wil op tijd een boterham eten,' kondigt ze aan. 'Vanmiddag heb ik met Lauren afgesproken.'

'Zoals je wilt.'

Hij blijft maar aan zijn vinger peuteren.

Met een zucht staat ze op. Ze zal blij zijn als het tijd wordt om te vertrekken.

Wat heeft hem bezield om bij Isabel onderdak te vragen? Wat meende hij hier te vinden?

Die gedachten houden Dennis bezig als zijn dochter na het eten is vertrokken en hij zich over de afwas ontfermt. Warmte had hij gezocht en hier brandt de kachel, maar de sfeer blijft ijzig. In zijn woonboot voelde hij zich meer dan eens eenzaam. In feite was hij hier de afgelopen uren eenzamer geweest.

Hij zet een druipend kopje in het afdruiprek, de afwasborstel blijft even werkeloos boven de bak vol sop hangen.

Eenzaamheid... een gevoel dat hij maar al te goed had leren kennen tijdens zijn huwelijk met Bianca; zelfs als ze naast elkaar in bed lagen, was de afstand immens. In haar nabijheid was hij altijd op zijn hoede. Hij had haar in de jaren dat ze samen waren nooit leren kennen en nooit begrepen. Dat lag niet alleen aan hem, begrijpt hij tegenwoordig. Ook haar tweede man, de vader van Britt, had het uiteindelijk laten afweten. Tijdens een van hun schaarse ontmoetingen had Roy gezegd dat Bianca hem in de zeven jaar dat ze samen waren, helemaal had leeggezogen.

Hij begreep die uitspraak als geen ander. Zo had hij het zelf ook ervaren. Bianca putte hem uit, zowel geestelijk als lichamelijk. In het begin van hun relatie leek ze een lieve vrouw: zacht en vol liefde naar hem toe, maar na verloop van tijd zette ze dat masker af. Daaronder ontdekte hij een andere kant, alsof daar een ander wezen huisde. Die kant van haar boezemde hem angst in en wist hem kapot te maken. Ze kon hem het bloed onder de nagels vandaan halen. Ze vernederde hem, stootte hem van zich af, gilde dat ze hem nooit meer wilde zien en was dan ineens doodsbang dat hij zou vertrekken en beweerde dat ze niet zonder hem kon.

Ze wilde niet dat hij wegging, ook niet voor een avond of een middag. Zijn bezigheden buitenshuis werden door haar tot een drama gemaakt.

Bianca dreigde met zelfmoord als hij een afspraak met vrienden had of er voor een fotoshoot op uit moest. Hij wist inmiddels dat het geen loos dreigement was. Ze had hem destijds echt helemaal in haar greep, ze perste hem uit, vrat hem op, totdat hij niet meer kon.

Als een dief in de nacht was hij vertrokken.

Geen wonder dat zijn relatie met Isabel veel te wensen overlaat. Ze kent haar plicht en heeft direct haar zorgtaak op zich genomen. Dankzij haar loopt hij er nu weer keurig bij. Wat dat betreft, gaat het met hem momenteel beter dan in lange tijd het geval is geweest, maar hij voelt haar afkeer, hij ziet haar blik zonder liefde als ze naar hem kijkt. Zo hoort een dochter niet naar haar vader te kijken.

Hij heeft het er zelf naar gemaakt.

Zaterdag... Dat is het eerste wat Bianca denkt als ze die morgen wakker wordt. Voor haar ligt een heel weekend. Het is gek: sinds ze geen baan meer heeft, zijn alle dagen hetzelfde, maar toch heeft ze altijd meer moeite met de zaterdag en de zondag. Op haar wekker ziet ze dat het inmiddels na tienen is. Beneden hoort ze Britt, die kennelijk de televisie heeft aangezet en naar de een of andere muziekzender kijkt.

Britt blijft thuis. Officieel behoort ze elk weekend bij haar vader te zijn, maar Roy heeft het weer eens laten afweten in verband met andere dringende bezigheden.

Britt liet het gelaten over zich heen gaan. 'Papa moet weer klussen,' had ze gezegd.

'Toch niet het hele weekend?' Bianca voelde haar verontwaardiging direct opborrelen. 'Hij zal morgenavond toch wel thuis zijn? En op zondag klust hij ook nooit.'

Op hoge poten had ze Roy gebeld, maar hij had haar gewoon afgepoeierd. 'De afspraak was dat Britt elk weekend bij mij zou zijn, maar jij houdt haar ook meer dan eens thuis. Bovendien heb jij niets te maken met wat ik wel of niet doe. Het komt me nu gewoon heel slecht uit.'

'Je hebt zeker een ander!' Ze wist dat ze schreeuwde. Ze kon razend worden van zijn onderkoelde reactie en van het feit dat hij in feite niets zei, dat ze geen idee kreeg van zijn redenen en waar hij dit weekend zou verblijven.

Mannen zijn allemaal hetzelfde. Ze hebben geen verantwoordelijkheidsgevoel en geen inlevingsvermogen. Ze doen geen enkele moeite om haar te begrijpen, al moet ze toegeven dat ze er soms ook moeite mee heeft om iets van zichzelf te begrijpen. Want waar komt dat gevoel van intense leegte vandaan, dat haar op dit moment in z'n greep houdt en haar vervult met angst? Hebben anderen dat ook? Hoe houden die dan grip op hun leven? Hebben zij nog niet ontdekt dat geen mens te vertrouwen is?

Ze hebben haar toch allemaal in de steek gelaten? Het begon met Dennis, daarna kwam Roy, met haar enige zus heeft ze geen contact meer en zelfs Isabel laat haar stikken. Dan heeft ze het nog niet eens over vriendinnen die afhaakten, en over mannen die haar leuk vonden voor een paar weken, maar haar vervolgens lieten stikken.

Is het gek dat ze inmiddels niemand meer vertrouwt?

Britt is nu nog bij haar, maar voor hoelang? Ze vraagt het haar dochter bijna dagelijks: 'Britt, kind, jij blijft toch wel bij me?'

Britt belooft het altijd, maar dat deed Dennis ook, en Roy en Isabel, en al die anderen.

De wereld is een heilloos oord waarop ze moet zien te overleven. Meer dan eens was ze aan het eind van haar Latijn geweest en zag ze haar overlevingskansen niet meer. Die ene keer had ze echt doorgezet, maar ze werd net op tijd door Isabel gevonden.

Volgens Dennis had ze het erom gedaan en was haar poging een schreeuw om aandacht.

Mannen begrijpen er niets van, helemaal niets.

Ze zou nu toch eens moeten opstaan. Het moet toch mogelijk zijn om haar angst gewoon te negeren? Alles is onder controle. Er gebeuren vandaag geen rare dingen, geen enge dingen. Ze kan gewoon haar badjas aantrekken en beneden een broodje gaan eten. Britt redt zich wel. Die heeft vast al ontbeten.

Kom nu, opstaan… opstaan, opstaan…

Bianca kreunt en duwt haar hoofd onder de dekens.

Een jongensband op televisie heeft Britts onverdeelde aandacht. Haar boterham blijft onaangeroerd op het bord op haar schoot liggen. Vier piepjonge Nederlandse jongens worden door een horde fans toe gegild als ze het podium betreden. Een paar meisjes in haar klas zijn ook helemaal gek op die jongens, één meisje is zelfs bij een optreden geweest. Misschien komt dat omdat ze oudere zusjes hebben die fan zijn. Britt is niet zo onder de indruk. Gelukkig maar, ze zou toch niet naar een concert mogen. Haar moeder vindt haar nog veel te jong. Voor bijna alles vindt haar moeder haar nog veel te jong.

Haar vader denkt daar meestal anders over, maar die heeft een stuk minder te vertellen. Dat is wel jammer. Ze vindt het ook niet leuk dat ze vandaag weer niet bij hem kan zijn. Hij heeft zo vaak iets anders, en ze begrijpt natuurlijk wel dat hij het druk heeft. Hij heeft sinds kort zijn eigen installatiebedrijf, dat hij is begonnen nadat hij ontslag kreeg bij zijn baas. In deze tijd moet hij alle klussen aanpakken.

Bij haar vader is ze altijd blijer. Hier in huis is ze bang dat ze iets verkeerd doet. Vandaag zal het wel meevallen. Het lijkt erop dat haar moeder weer in bed zal blijven. Isabel vindt dat zielig voor haar, maar zelf vindt Britt het niet zo heel erg. Ze redt zich wel en zo kan ze doen en laten wat ze zelf wil. Als haar moeder uit bed komt, begint ze toch weer te zeuren over haar vader en dat ze niet gelooft dat hij het zo druk heeft met zijn bedrijfje. Steeds wil ze weten of Britt nooit heeft gemerkt dat hij een vriendin heeft. Dat heeft ze wel, maar ze zou wel gek zijn om dat tegen haar moeder te vertellen. Waarschijnlijk zou haar moeder er dan alles aan doen om ervoor te zorgen dat ze niet meer naar haar vader ging.

Haar telefoon trilt. In het schermpje leest ze dat er een berichtje van Kiki is: *Kom je straks bij mij? Je mag ook blijven eten.*

Het is altijd gezellig bij Kiki thuis. Ze heeft drie jongere broertjes en Britt is dol op Jelmer, de jongste, die nog geen jaar oud is. De andere twee, Koen van drie en Yoshi van zes, vinden het heerlijk als ze voorleest of spelletjes met hen doet. Soms voelt het alsof het haar eigen broertjes zijn.

Britt aarzelt even, maar besluit dan toch direct naar boven te gaan. Haar moeder zal het vast niet erg vinden op een dag als vandaag.

'Mam...' Voorzichtig klopt ze op de slaapkamerdeur. Er klinkt gemompel, waarop Britt het waagt om de deur verder te openen. 'Mam, vind je het goed als ik zo naar Kiki ga?'

'Naar Kiki?' Vanonder de deken verschijnt het slaperige hoofd van haar moeder. 'Wat moet je nou bij Kiki?'

'Gewoon...' Britt haalt haar schouders op. 'Ik mag er ook blijven eten.'

'Vind je het eten hier niet lekker dan?'

'Natuurlijk wel, maar Kiki vroeg het gewoon.'

'Ik heb liever dat je thuisblijft...'

'Mam, ik wil graag en jij ligt toch in bed.'

Ze schrikt als haar moeder ineens rechtop gaat zitten. 'En waarom denk je dat ik in bed lig?'

'Je voelt je niet goed?'

'Nee, maar ga maar... ik zal me alleen wel redden, en als ik het niet red, hoef jij daar niet bij te zijn... Ik snap best dat je liever daar bent dan thuis.'

'Dat ben ik niet... en als je liever hebt dat ik thuis...'

'Ik wil je niet tegenhouden. Natuurlijk vind ik het fijner als je thuisblijft, maar je moet gewoon naar je vriendinnetjes kunnen...' Haar moeder gaat weer liggen, haar hand op haar voorhoofd. 'Het komt wel goed. Je hoeft niet aan me te denken. Ik red me alleen best, al voel ik me helemaal niet lekker.'

'Dan ga ik zo maar.' Britt weet niet goed wat ze moet doen.

Opnieuw schiet haar moeder overeind. 'Ja, laat me maar in de steek. Dat doet iedereen: je vader, je zusje... iedereen laat me gewoon stikken. Ik wen daar nooit aan, maar als jij denkt dat het goed is om nu weg te gaan, dan moet je dat doen.'

In Britts ogen glanst onzekerheid. 'Als je liever niet hebt dat ik daar eet, ga ik wel na het eten.'

'Ik begrijp niet wat je daar zoekt. Het zijn rare mensen. Die Kiki is ook een raar kind. Je weet toch zelf dat het daar in huis

een rommeltje is. Ik snap echt niet wat je daar zo leuk vindt.'
'Het is er gezellig.' Haar stem klinkt kleintjes.
'En hier niet, wil je zeggen?'
'Hier ook, maar jij ligt in bed.'
'En jij laat me alleen... Wat zul je voelen als het niet goed met me is gegaan in de tijd dat jij plezier bij Kiki maakt?'

Isabel zei altijd dat ze zich daar niets van aantrok. Isabel raadde haar ook aan om maar gewoon te doen wat ze van plan was. Haar moeder dreigde vaak, maar uit ervaring wist Isabel dat het meestal daarbij bleef.

'Laat je niet gek maken,' zei Isabel dan.

Maar Isabel had makkelijk praten. Die zat lekker in Arnhem en belde af en toe, heel af en toe zelfs. Britt moest nog maar zien of die vakantie in dat huisje aan zee ooit echt zou gaan gebeuren. Stel je voor dat haar moeder... net zoals een hele tijd geleden toen zij er nog niet was...

'Ik blijf wel thuis,' zegt ze dapper, maar ze voelt verdriet in haar keel kroppen. 'Een andere keer ga ik wel naar Kiki.'

'Daar doe je goed aan, kind... Kom, geef me een knuffel.'

Ze wil niet, de geur van slaap staat haar tegen, maar Britt loopt toch naar het bed toe en laat zich door haar moeder omarmen.

'Ik ben blij dat ik jou heb,' hoort ze haar zeggen.

Maar daar wordt Britt op dit moment ook al niet echt vrolijk van.

4

'Je zegt dat je hem niet bijzonder vindt, maar dan zou je toch niet nog eens met hem willen uitgaan?' Lauren leunt geïnteresseerd over de tafel die tussen Isabel en haar in staat. Na uren winkelen zijn ze neergestreken in een klein restaurant om uitgebreid bij te praten. 'Ik had echt verwacht dat je me gisteravond direct zou bellen om te vertellen hoe het was.' Ze kijkt Isabel afwachtend aan, zuigt ondertussen aan het rietje dat in het enorme glas met bananenshake staat. Lauren heeft gelijk, beseft Isabel. Zo ging het altijd. Als een van hen tweeën iets bijzonders had, deelden ze dat. Eigenlijk deelden ze alles, maar gisteravond werd alles anders toen haar vader ineens op haar stoep stond. Juist dat wil ze nu niet vertellen.

Ze hoopt ook van harte dat Lauren het deze dagen niet in haar hoofd haalt om onverwacht voor de deur te staan. Hoe minder ze weet, hoe beter het is. Nog altijd speelt de vage angst dat hun vriendschap voorbij zal zijn als Lauren weet uit wat voor nest ze komt. Zo ging het vroeger…

'Het kwam er gisteravond niet meer van om te bellen,' zegt ze vaag. 'Maar het was echt leuk. Bob is hartstikke aardig, hij heeft humor en luistert goed, maar meer is het echt nog niet.'

'Een man die hartstikke aardig is, goed kan luisteren en ook nog humor heeft… Voor mij klinkt dat als de ideale man. Ik zou er heel wat voor overhebben als zo'n bijzondere man me mee uit vroeg.'

'Draaf toch niet zo door…'

'Wat heb je toch?'

'Wat zou ik moeten hebben? Je gaat me gewoon te snel.'

'Ik begrijp je niet,' houdt Lauren aan.

Isabel begrijpt het zelf ook niet. Waarom ergert ze zich ineens zo aan de vragen van Lauren? Normaal zou ze zich er met een grapje van afmaken als ze nog niets te melden had, nu maakt het onderwerp haar kriegel. Ze tracht hun gesprek op het project te brengen waar Lauren zich momenteel mee bezighoudt. Sinds kort werkt ze met veel plezier in de jeugdzorg en enthousiast als ze is, vertelt ze er graag over. Tot opluchting van Isabel laat Lauren zich ook nu afleiden.

Ze probeert haar aandacht bij het verhaal te houden, maar haar gedachten dwalen alweer snel af. Haar ergernis heeft uiteraard te maken met de situatie bij haar thuis. Gisteravond, op het moment dat ze haar vader in de hal van haar flat in de gaten kreeg, sloeg haar humeur om. Chagrijnig, dat is ze. Op dit moment kan ze er al tegen opzien om straks weer naar huis te gaan. Vanavond zal Lauren wel uit willen, en daar heeft ze helemaal geen bezwaar tegen. Ze gaat echt niet de hele avond bij haar vader op de bank zitten.

Wat zou Bob ervan vinden als hij zag dat haar vader bij haar 'op visite' was en hoe hij eruitzag?

Lauren heeft wel gelijk: Bob is bijzonder. Inwendig schiet ze weer in de lach als ze denkt aan de manier waarop hij haar eerst zenuwachtig domme complimenten maakte. Hij was ook nog zo eerlijk om dat direct te erkennen toen zijn onhandigheid tot hem doordrong. Dat onderscheidt hem in ieder geval van de andere mannen met wie ze weleens uitging. Bob is eerlijk.

Uiterlijk valt hij misschien niet onder de categorie Mooie Man, maar hij bezit meer innerlijke schoonheid dan al haar vroegere vriendjes bij elkaar.

Aan zijn eerlijkheid zit ook een keerzijde: van haar zal hij dat net zo goed verwachten. Hij is er de man niet naar om het erbij te laten zitten als ze met vage verhalen komt. Die wetenschap laat haar twijfelen en daarom wil ze hem nog niet te dichtbij laten komen.

Uit zijn verhalen heeft ze al wel begrepen dat hij uit een keurige, respectabele familie komt. Hoe moet ze hem vertellen dat haar moeder inmiddels twee keer gescheiden is? Wat zou hij zeggen als hij hoorde dat Isabel zelf in haar leven meer dan eens van haar moeder te horen had gekregen dat ze beter niet geboren had kunnen worden? Dat ze waardeloos is? Isabel bijt op haar lip.

Ze kan het niet.

Ze wil het niet.

Het was beter geweest als ze Bob meteen had verteld dat ze niet nog eens met hem uit wilde.

Waarom heeft ze dat niet gedaan?

'Ik heb niet de indruk dat je echt geïnteresseerd bent,' hoort ze Lauren ineens zeggen, maar net als Isabel zich wil verontschuldigen, veert Lauren op: 'Hé Mike! Mikey!'

Een knappe, donkerblonde jongeman kijkt verrast op en stevent met een brede glimlach op hun tafeltje af. 'Als dat m'n mooie, kleine nichtje niet is...' Hij drukt Lauren aan zijn hart, houdt haar een eindje van zich af en mompelt: 'Meid, je wordt echt steeds mooier.'

'Laatst zeiden we op ma's verjaardag nog dat we wel allebei in Arnhem wonen, maar elkaar nooit tegenkomen.' Lauren straalt. 'Kom erbij. Dit is m'n vriendin Isabel.'

Een beetje onbeholpen staat Isabel op. Zijn handdruk is stevig, zijn blik bewonderend. 'Dag schoonheid, leuk om kennis te maken.'

'Isabel is m'n beste vriendin,' vertelt Lauren. 'En Mike Mertens is m'n liefste neefje. We speelden vroeger altijd samen.'

'Ik moest altijd van m'n moeder, maar ik vond er niets aan met die kleintjes.' Hij grijnst breed. 'Wat dat betreft is er veel veranderd. Werk jij hier ook, Isabel? Of ben je nog aan de studie?'

Zijn glimlach is warm en nog steeds steekt hij zijn bewondering voor haar niet onder stoelen of banken, maar ze voelt zich niet langer ongemakkelijk. Hij maakt grapjes, zij reageert ad rem. Ze speelt het spel dat ze altijd speelt, en waarmee ze zich achter haar muur kan blijven verschuilen. Mike lijkt het

niet in de gaten te hebben. Hij vertelt over zijn werk als sport-
leraar op een middelbare school en de band waarmee hij in de
avonduren optreedt. Zijn ogen blijven onafgebroken haar
gezicht vasthouden, alsof hij haar wil betoveren.

Ze laat zich niet betoveren. Nog voor vijven kondigt ze aan
dat ze naar huis gaat en dat ze ook geen zin heeft om 's avonds
weer uit te gaan.

Mike zegt dat hij hoopt dat ze elkaar nog eens treffen.

Ze reageert niet.

Wat mankeert haar? Wat heeft haar bezield om ineens naar huis
te willen en ook nog eens te bedanken voor een gezellige
avond?

Ze lijkt wel niet goed snik. Nu kan ze toch de hele avond
met haar vader op de bank gaan zitten. Alsof ze daar zin in
heeft.

Isabel fietst als een razende naar huis, zich ergerend aan haar
rokje dat ze met één hand steeds naar beneden moet trekken.
Ze schiet nog net voor een auto langs en trekt zich niets aan van
de opgestoken middelvinger van de bestuurder en zijn scheldkanonnade door het geopende raam. Hij had haar mogen aan-
rijden. Ze weet toch niet wat ze met zichzelf moet beginnen, en
straks komt ze weer in haar flat waar haar vader op haar wacht.
Haar vader... het mocht wat. Die man verdient het predicaat
vader niet eens. Hij is er nooit als ze hem nodig heeft.

Hoe komt ze de avond door? Er was toch niets verkeerds aan
om samen met Lauren uit te gaan? Kwam het door Mike
Mertens?

Het was gezellig toen hij erbij kwam, en bovendien was het
gevaar dat Lauren over Bob bleef praten vanaf dat moment
geweken. Isabel kon het niet laten om Bob en Mike met elkaar
te vergelijken. In uiterlijk won Mike glansrijk, maar verder viel
de vergelijking toch vooral in het voordeel van Bob uit.

Bob... Bob... Bob...

Zijn naam zingt door haar hoofd.

Ze had gisteravond oprecht genoten van zijn aandacht voor haar. Komt dat doordat ze bij hem vindt wat ze bij haar vader mist? Ze grinnikt ineens. Misschien moet ze toch eens overwegen om psychologie te gaan studeren. Het idee dat ze in Bob vindt wat ze bij haar vader mist... Ze trapt nog feller en laat de rok voor wat die is. Wat kan het haar allemaal nog schelen?

Als ze even later over de galerij in de richting van haar voordeur loopt, drijven de etensgeuren haar al tegemoet. Door het geopende keukenraam hoort ze haar vader alweer zingen. Flarden tekst dringen tot haar door.

Since you took your love away...

Hij heeft een mooie, warme stem. Vanmorgen was haar dat ook al opgevallen.

But nothing, I said nothing can take away these blues.

Ze blijft even staan.

'Cause nothing compares. Nothing compares to you...

Zijn stem slaat over. Hij herhaalt die zin nog eens, voordat hij verdergaat.

It's been so lonely without you here. Like a bird without a song.

Ze steekt de sleutel in het slot. Het wordt ineens stil.

'Wat ruikt het hier lekker.' Gemaakt opgewekt loopt ze de keuken in, alsof ze hem niet heeft horen zingen. Hij draagt zijn lange haar in een staart. Op het aanrecht staan verschillende pannen te dampen.

'Ik ben zo vrij geweest om je koelkast te plunderen en te kijken wat ik van de inhoud kon maken.' Hij glimlacht verontschuldigend. 'De mogelijkheden waren ongekend, maar ik heb voor een oriëntaalse kipschotel gekozen. Maak ik zelf ook weleens. Het recept heb ik van Chri... heb ik ooit eens gekregen. Ik hoop dat je het lekker vindt.'

Hij heeft de tafel gedekt. In het midden staat een brandend kaarsje. Het vlammetje beweegt zachtjes. 'Ik ben geen geweldige kok, maar ik vind dat dit toch heel behoorlijk gelukt is.' Hij zet dampende schalen op de tafel.

'Het ruikt in ieder geval goed.' Ze praten met elkaar alsof ze vreemden zijn, dringt het tot haar door. Wat weet ze van haar vader, behalve dat hij op een dag is vertrokken en zij zich sinds die tijd door hem erg in de steek gelaten heeft gevoeld?

Ze bidden zachtjes voor het eten, maar ze weet geen woorden te vinden. Verwarrende gedachten doorkruisen haar vraag om een zegen over het eten. Snel opent ze haar ogen weer en wacht tot hij ook opkijkt.

Een ongemakkelijk zwijgen hangt tussen hen in. Stilte, die hoort bij onuitgesproken vragen. Stilte, die steeds zwaarder op Isabels schouders drukt.

'Het smaakt goed,' probeert ze het gesprek op gang te brengen, om dan ineens toch de vraag te stellen die haar op de lippen brandt: 'Pa, ben jij ooit gelukkig geweest?'

Haar vader kauwt op een stukje kip. Het lijkt eindeloos te duren voordat hij het stukje heeft doorgeslikt. Zijn kaken malen alsof hij haar vraag herkauwt.

'Ja,' reageert hij dan bedachtzaam. 'Ik ben wel gelukkig geweest. Extreem gelukkig misschien wel, en daardoor kwam het ongeluk zo intens aan. Als je van het toppunt van geluk in het diepe valt, val je hard.' Hij prikt met z'n vork in het eten, roert erin rond alsof hij een tuin omspit, veegt nadenkend over zijn kin. Ze ziet hoe zijn hand zich rond de vork klemt. 'Eerst was er je moeder, die me liet ontdekken wat liefde was, maar die me ook de keerzijde ervan liet zien. Ze kon intens liefhebben en even intens haten. Daarna is er nog een vrouw geweest, een veel jongere vrouw...'

Zijn stem wordt zachter. Isabel verwondert zich over de kleur van zijn blauwe ogen, die donkerder lijkt te worden. 'Bij haar ging het om liefde met een heel andere intentie. Liefde

46

waarvan ik het bestaan nooit heb vermoed: niet lichamelijk, maar geestelijk. We waren één, zonder elkaar aangeraakt te hebben. Dat zeg ik niet helemaal goed. We hebben elkaar geknuffeld, maar het ging niet om seksualiteit.'

Hij neemt een hap, kauwt opnieuw eindeloos, maar de stilte tussen hen is lichter geworden. Ze wacht zonder haast. 'Christa heette ze.'

Het vlammetje van de kaars beweegt heftig als hij haar naam uitspreekt. 'Zij leerde me wat echte liefde was, ze leerde me vertrouwen.'

'En waarom is het niets tussen jullie geworden?' Isabel probeert een luchtige toon aan te slaan. 'Was ze te jong? Was het iets anders?'

Zijn knokkels rond de vork worden wit. 'Ze is dood. Dood om niets. Ze was een engel, maar ze werd verkracht en vermoord. Het was zo wrang: juist zij, die geen vlieg kwaad deed, juist zij, die mij het vertrouwen in het leven teruggaf, juist zij moest op zo'n gruwelijke manier sterven.' Met de rug van zijn hand veegt hij langs zijn mond. 'Juist zij... Ik had het beter kunnen zijn. Mijn leven was geen knip voor de neus meer waard. Zij kon nog zo veel mensen gelukkig maken.'

'Het spijt me.' Isabel kijkt ineens met andere ogen naar hem. Het lijkt alsof hij haar voor het eerst een kijkje in zijn leven gunt, waardoor ze iets ontdekt van de man die hij werkelijk is. De onbekende man die haar vader moet voorstellen.

'En jij?' Langzaam komt hij weer bij zinnen. 'Heb jij al iemand die je gelukkig maakt?'

'Daar heb ik nog helemaal geen behoefte aan.' Met haar vraag brengt hij Bob weer in haar gedachten. 'Ik geniet van mijn vrije leventje. In deze stad heb ik vrienden. Hier kan ik mijn jeugd vergeten. Ik heb plezier in m'n leven en in m'n werk. Op zaterdagavond ga ik meestal uit, maar vandaag had ik geen zin.'

Haar woorden klinken onoprecht. Ze ziet dat haar vader er

niets van gelooft, maar hij gaat er niet verder op in.

'Heb je je nooit schuldig gevoeld over je plotselinge vertrek?' informeert ze dan. 'Je liet me...'

Haar telefoon gaat over. Ongeduldig kijkt ze in het scherm, ontdekt de naam van haar zusje, maar drukt het gesprek weg. Britt moet even wachten. Ze zal haar later op de avond wel terugbellen.

'Je liet me zomaar achter in een bijzonder instabiele situatie, en ik was nog een kind. Heb je je ooit afgevraagd wat dat voor mij heeft betekend?'

'Ik stond ermee op en ging ermee naar bed. Geloof me, ik had je mee willen nemen, maar mijn situatie was ook niet bepaald stabiel te noemen. Soms zou ik willen dat ik het verleden kon laten rusten, dat ik het gewoon kon vergeten.' Hij schuift onrustig heen en weer op zijn stoel.

'Dat lukt dus niet als je ineens bij je dochter opduikt,' concludeert ze nuchter.

'Inmiddels is het tot me doorgedrongen dat ik dat beter niet had kunnen doen.' Hij schuift z'n bord, nog halfvol, aan de kant. 'Morgen ga ik weer naar huis. Ik wist gisteravond niet waar ik anders naartoe moest en ik had het zo koud.'

'Weet je dat zeker? Je zou blijven... Je zit me niet in de weg... het is nog te koud... Ik wil nog zo veel vragen...' Ze klinkt een beetje ademloos, alsof ze bang is dat hij zal vertrekken voordat ze is uitgepraat.

'Meen je dat nou?'

Ze knikt.

'Tsja, als jij dat wilt... Natuurlijk, dan blijf ik.'

Hij schuift zijn bord weer naar zich toe en neemt een flinke hap. Ze ziet hoe hij tevreden achteroverleunt. Hij heeft even hoog spel gespeeld, maar de uitkomst bracht hem wat hij hoopte.

Ze doorziet zijn tactiek en voelt toch opluchting. Het is goed dat hij blijft. Er valt nog zo veel in te halen.

Het telefoontje van Britt raakt steeds verder naar de achtergrond.

Bianca heeft voor diezelfde middag bedacht dat ze zin heeft om uitgebreid te winkelen. Haar ellendige gevoel van 's morgens is volkomen verdwenen. De wereld ziet er een stuk opgewekter uit. Met zorg zoekt ze haar kleding uit en brengt ze haar make-up aan. Ze monstert haar gezicht in de spiegel en wat ze ziet stemt haar tevreden. Zo kan ze best op jacht naar de nieuwe voorjaarsmode. Sinds ze twee weken geleden werd bevangen door opruimwoede vertoont haar kledingkast veel te veel lege kleerhangers. Roy heeft de alimentatie voor Britt weer gestort, en tegenwoordig lijkt het of de uitverkoop het hele jaar doorgaat, dus ze kan zich lekker uitleven.

Britt gaat mee. Niet dat ze die toezegging van harte deed; Bianca had er stevig op aangedrongen. Het kind kan zich de hele dag voor de televisie vermaken en zit op die manier veel te veel binnen. Af en toe moet ze er eens uit, of ze nu zin heeft of niet.

Neuriënd staat ze op en draait een uitgelaten rondje voor de spiegel. Met haar veertig jaar mag ze er nog best zijn. Ze is slank, ze heeft een bos donkerblonde krullen, een smal, levendig gezicht en ondanks alles wat ze in haar leven heeft meegemaakt, lijkt ze jonger. Dat wordt in ieder geval regelmatig tegen haar gezegd. Ze neemt het graag aan.

Voordat ze haar slaapkamer uit loopt, glimlacht ze tegen haar eigen spiegelbeeld. Een paar weken geleden heeft ze het blauwe jurkje dat ze draagt voor weinig geld op de kop getikt, en het staat haar prachtig.

'Kom kind, we gaan!' Ze vliegt bijna de trap af, licht en vrolijk voelt ze zich. Dit zijn de momenten waarop ze meent dat ze de wereld aankan.

Vanuit de huiskamer komt geen reactie. Nog steeds hoort ze

die ellendige televisie en Britt zit ervoor alsof ze geen weet heeft van de wereld.

'We gaan,' herhaalt ze, en trekt de stekker uit het stopcontact.

'Wat doe je nou?' Britt veert verontwaardigd op. 'Het was juist zo spannend... Zo maak je de televisie kapot!'

'Er is niets wat ik op dit moment liever zou willen. We gaan nu. Schiet een beetje op.'

Onwil druipt van Britts houding als ze langzaam overeind komt. 'Je jurk is veel te kort,' mort ze. 'Moeders dragen nooit zulke jurken.'

'Jouw moeder is nog jong, die draagt wel zulke jurken.' Bianca lacht, maar ze voelt haar onzekerheid weer binnendringen. 'Er is niets mis mee. Moet je kijken, die jurk komt bijna tot op m'n knieën.'

'Ja, als je vooroverbuigt... En dan die netpanty eronder...' Britt snuift verachtelijk, maar doet er verder het zwijgen toe.

'Wat doe je nu brutaal? Waarom doe je zo?'

'Je moeder lijkt wel een hoer!' had Daphne laatst tegen Britt gezegd. Ze had niet eens precies geweten wat dat was, maar op internet had ze naar de betekenis gezocht en ze was geschrokken van wat ze had gelezen en gezien. Zo was haar moeder niet... maar toch... zoals ze er nu bij loopt...

'Waarom doe je zo?' dringt Bianca nog eens aan, maar Britt zegt dat ze gewoon geen zin heeft om mee te gaan winkelen en dat ze daarom uit haar humeur is.

Die uitleg wordt geaccepteerd, maar het verandert niets aan de zaak: Britt moet mee.

Twee uur later heeft Britt spijt dat ze niet méér heeft tegengestribbeld. Ze hebben inmiddels de helft van de winkelstraat gehad en voor haar idee heeft ze alleen maar voor pashokjes staan wachten. Haar moeder ging met armen vol naar binnen, kwam in steeds een andere creatie weer naar buiten, draaide eindeloos voor de spiegel en besloot uiteindelijk om niets te kopen. Wel had ze Britt gedwongen om een rokje te passen. Volgens haar moeder zat het als gegoten. Britt vond het geen gezicht. Haar moeder kocht het toch en Britt wist zeker dat ze het nooit zou dragen. In ieder geval niet naar school. Het was te kort, er stonden stomme poppetjes op en waarschijnlijk zou Daphne zeggen dat zij net zoals haar moeder was.

Dat is ze niet.

'Ach schatje, dit shirtje is me net een ietsepietsie te klein. Kun jij kijken of ze nog een maatje groter hebben?'

Er staan kinderachtige poesjes op het shirt. Andere moeders dragen zulke dingen niet. Britt heeft nooit gezien dat de moeder van Daphne of van Kiki zoiets aanhad. Die zien er altijd heel leuk uit, maar lopen nooit in zoiets kinderachtigs of in zulke korte jurkjes als haar moeder draagt.

'Komt er nog wat van?'

'Gaan we dan zo koffiedrinken?' bedingt Britt.

'Zo...'

Waarschijnlijk zal er niets van komen. Straks wil haar moeder gewoon naar huis en gaat het enige waar Britt zich nog een beetje op heeft verheugd weer niet door.

Waarom heeft zij zo'n moeder?

En waarom laat Isabel maar zo weinig van zich horen?

En waarom had Roy vandaag geen tijd voor haar?

Tranen dringen op als ze met het shirtje naar het kledingrek loopt. Er hangt er nog één in een grotere maat. Britt kijkt in de richting van de pashokjes. Het gordijn is gesloten. Snel hangt ze het shirt een eindje verderop tussen colberts, die haar moeder toch niet mooi vindt.

'Er zijn geen shirtjes meer in die maat,' liegt ze even later.

'Heb je wel goed gekeken?' klinkt het teleurgesteld vanachter het donkerblauwe, korte gordijn. Ze ziet één voet van haar moeder, even later wordt de andere ernaast gezet, gehuld in een groene legging. Nu gaat de andere voet de lucht in.

'Natuurlijk heb ik goed gekeken.' Britt zucht. Geen enkele moeder draagt zo'n groene legging.

Deze middag lijkt nog lang niet ten einde.

Veel later dan gepland zijn ze thuis. Van koffiedrinken kwam niets, maar in plaats daarvan hebben ze samen gegeten in een restaurant. Britt mocht zelfs ijs toe.

Terwijl Britt de televisie aanzet, loopt Bianca meteen met haar buit naar boven. Op de slaapkamer haalt ze de ontelbare plastic tasjes leeg. De inhoud belandt op het bed. Koortsachtig trekt ze haar jurk en panty uit om een voor een de nieuwe kledingstukken aan te trekken.

Waarom stonden die haar in de winkel veel mooier?

Britt had gelijk toen ze commentaar leverde terwijl zij het zwart-witte rokje in pied-de-poule-ruitje paste: het is te kort. Ze moet er rekening mee houden dat ze inmiddels veertig is. Haar benen hebben hun beste tijd gehad. Ze steken nu te wit onder het rokje vandaan, en op haar onderbenen zijn duidelijk al een paar blauwe aders te zien. Met driftige gebaren trekt ze het rokje weer uit en gooit het van zich af. Langzaam maar zeker verdwijnt haar opgewekte humeur. Ze voelt zelf hoe de leegte opnieuw als een donkere, angstaanjagende schim op haar afkomt, hoe de overtuiging dat ze helemaal niets betekent zich van haar meester maakt. De rest van de kleren wil ze niet eens meer passen. Alles belandt op een bult in de hoek van de kamer. In haar ondergoed staat ze voor de spiegel en die vertelt haar dat ze echt niet langer mooi en jeugdig is.

Ze laat zich op de grond zakken, met haar rug tegen de zijkant van haar bed, trekt haar knieën op en stut haar hoofd in haar handen. Het is op momenten als deze alsof uiterlijk en innerlijk zich van elkaar losmaken en ze van een afstandje naar zichzelf kijkt. Wat ze ziet stemt haar niet vrolijk.

Ze zou er liever niet meer zijn.

Samen met haar vader heeft Isabel de tafel afgeruimd, daarna hebben ze afgewassen, onderwijl heel vals gezongen en met z'n tweeën de slappe lach gekregen. Ook de avond verloopt in harmonie. Voor het eerst in haar leven hoort ze het verhaal over de reden van zijn vertrek van de kant van haar vader.

'Bianca trok me aan, en dan was ze een vat vol liefde, zo vol dat het me soms benauwde. Als ik een avond met vrienden wilde stappen, raakte ze helemaal overstuur en dan zegde ik uiteindelijk de afspraak maar af. Ze was jaloers en manipulatief, maar ze was ook angstig en op andere momenten een schat van een mens. Soms leek ze een heks, maar ze kon ook een liefhebbende echtgenote zijn, die ineens in een wraakzuchtige vrouw veranderde. Ik wist nooit wie ik tegenover me had. Voor de grap heb ik eens beweerd dat ik bij Bianca in de buurt het gevoel had dat ik door de polder fietste: altijd wind tegen. Bij elke bocht denk je dat je wind mee zult hebben, maar steeds kom je bedrogen uit. Dat gevoel sloopt je.'

Isabel haalt een paar glazen frisdrank en onderuitgezakt op de bank vertelt ook zij haar verhaal, van haar angst en haar eenzaamheid. Hoe ze terugkijkend alleen maar tot de conclusie kan komen dat ze nooit kind heeft kunnen zijn, dat ze altijd de verantwoordelijkheid op zich nam voor de gang van zaken in huis en later voor Dritt.

Haar telefoon geeft aan dat er opnieuw een berichtje voor haar is. Ze kijkt niet, gevangen in het verleden, in een verhaal dat ze niet eerder heeft uitgesproken.

'Ik heb je tekortgedaan,' concludeert Dennis. 'Dat weet ik heel goed. Als verweer zou ik kunnen zeggen dat ik genoeg had aan mezelf, maar ik ben een volwassen man. Ik had moeten inzien wat het voor jou betekende: die vakanties die nooit doorgingen, de nukken van je moeder...'

Hij zet zijn glas aan zijn mond en drinkt met grote, gretige slokken. 'Ik neem het je moeder niet kwalijk dat ze psychische problemen heeft, maar wel dat ze weigert die te onderkennen en dus vindt dat ze geen hulp hoeft te zoeken. Daardoor doet ze niet alleen zichzelf tekort, maar ook haar omgeving in ernstige mate.' Nadenkend neemt hij nog een paar slokken. 'Ja, dat is het kwalijkste van alles. En nou zit dat kleine meisje met de gebakken peren, je zusje... of eigenlijk je halfzusje, ik vergeet altijd haar naam. Het is eigenlijk nog een troost dat die jonge kerel het ook niet met haar uitgehouden heeft, al is het een schrale troost.'

Isabel schrikt als ze aan Britt denkt. Ze had moeten bellen. Inmiddels loopt het tegen elven. Britt ligt vast al in bed. Ze belt morgen wel.

Als ze de berichten in haar telefoontje nog eens bekijkt, ziet ze dat er ook één van Mike is: *Waarom moet ik toch steeds aan je denken?*

Haar mond krult verachtelijk. Die Mike Mertens is een eersteklas vrouwenversierder met zijn gladde praatjes, maar bij haar maakt hij geen schijn van kans.

Britt zit in bed.

Al meer dan een uur: vanaf het moment dat haar moeder de buurman heeft uitgenodigd omdat ze zich zo eenzaam voelde. Dat was haar uitleg geweest toen Britt had gesmeekt om die engerd van een Patrick niet te vragen.

'Ik ben eenzaam! Jij weet daar niets van. Je bent nog een kind, en je hebt geen idee hoe het leven in elkaar steekt.'

Britt had geschreeuwd, ze had gehuild, ze was blijven smeken of haar moeder alsjeblieft niet gewoon samen met haar naar de televisie wilde kijken. Er waren programma's die haar moeder graag zag, en anders stonden er nog wel films in de kast die haar moeder nog niet had gezien en die ze vast leuk zou vinden.

Zonder nog iets te zeggen had haar moeder haar de rug toegekeerd en was de deur uit gelopen. Door het raam had Britt gevolgd hoe ze het pad af liep, rechtstreeks naar het huis van buurman Patrick. Meer hoefde ze niet te zien. Met een fles cola en een zak chips had ze zich teruggetrokken op haar slaapkamer. Als ze aan Patrick dacht, voelde ze zijn zware, doordringende blik waardoor ze zich vies voelde. Ze kende de druk van zijn handen op plaatsen waar ze die niet wilde voelen. Vanaf dat moment klopte haar hart met felle, onrustige slagen. Was Isabel maar hier. Het was tot haar doorgedrongen dat ze Isabel kon bellen. Die was altijd zo flink. Als ze haar stem zou horen, zou ze zich al veel geruster voelen. Isabel was niet bang voor mannen als Patrick, Britt wist het zeker.

Hoopvol hadden haar vingers het nummer op haar mobiele telefoon al ingetoetst. Als ze nu maar op zou nemen...

Zwaar drukte de teleurstelling toen ze alleen de voicemail hoorde. Een bericht liet ze niet achter, en vanaf dat moment was haar gevoel nog intenser dat ze alleen op de wereld was.

Uiteindelijk had ze de kleine televisie op haar slaapkamer maar aangezet. Een interessant programma over dieren op de savanne moest haar aandacht gevangenhouden, maar in werkelijkheid was ze gespitst op de geluiden die van beneden kwamen: haar moeder die terugkeerde, gevolgd door buurman Patrick, haar nerveuze, hoge stem, en kinderlijk gegiechel. Onder aan de trap riep ze smekend of Britt niet even beneden wilde komen om Patrick te begroeten. Britt weigerde. Patrick bemoeide zich ermee, eerst informeerde hij temerig of ze niet eventjes tijd voor hem vrij wilde maken. Toen ze niet reageerde, veranderde die temerigheid in dreiging. Hij dreigde boven te komen.

Paniekerig zocht Britt naar een uitweg, maar haar moeder voorkwam dat Patrick zijn plan ten uitvoer bracht. Ze verdwenen naar de kamer, maar Britt was op haar hoede gebleven, al gaven de geluiden beneden aan dat Patrick zijn aandacht inmiddels volledig op haar moeder richtte.

Ook op dit moment nog.

Britt zet het geluid van de televisie weer iets harder, maar het lukt haar niet om zich voor die geluiden af te sluiten. Haar handen trillen, van de cola wordt ze misselijk, de chips staan haar tegen.

Was ze vanmorgen maar gewoon naar Kiki gegaan...

5

'Waarom belde je me gisteravond?' Isabel zit onderuitgezakt op de zwarte leren bank, die Roy nog voor haar op de kop heeft getikt toen ze ging verhuizen. Ze draagt haar badjas over haar pyjama. Dennis staat onder de douche en zingt alweer het hoogste lied.

'Noem me maar gewoon bij m'n voornaam,' had hij gisteravond voorgesteld. 'Pa of papa voelt alsof het niet bij me hoort. Ik ben ook geen pa of papa voor je geweest.'

Het kostte haar geen moeite. Integendeel, door hem bij zijn naam te noemen, leek hij juist dichter bij haar te komen.

Nadat ze de tafel voor het ontbijt had gedekt, schoot het haar te binnen dat ze Britt nog moest bellen.

Het blijft even stil aan de andere kant, alsof Britt aarzelt.

'Niets bijzonders,' hoort ze haar zusje dan zeggen.

'Je wilt dus zeggen dat je me voor de gezelligheid belde? Dat heb je nog nooit gedaan.'

'Nu wel.' Opnieuw is er stilte, dan klinkt Britts stem gejaagd: 'Ik moet ophangen. Mama is ook al wakker en ze vindt het niet fijn als ik al zo vroeg aan de telefoon zit.'

'Het is je eigen telefoon…'

'Ze vindt het toch niet fijn.'

'Britt, je zou het me toch wel vertellen als er iets aan de hand is?'

'Ja hoor…'

Als de verbinding is verbroken, blijft Isabel nog even zitten. Peinzend neemt ze al haar vertrouwde spulletjes in zich op. Het meeste heeft ze bij de kringloopwinkel vandaan gehaald en zelf opgeknapt: de lampen, de salontafel, het dressoir, de kleine eettafel en zelfs een groot deel van haar servies. Mooi is haar inrichting misschien niet te noemen, maar zelf vindt ze het gezellig. In ieder geval is het opgeruimd, en dat hoort ze ook vaak van vrienden die af en toe op bezoek komen.

Op dit moment houden haar gedachten zich daar helemaal niet mee bezig. Er klopt iets niet, ze voelt het. Britt houdt iets voor haar achter. Ze heeft gisteravond niet zomaar gebeld. Dat doet ze echt nooit...

Misschien moet ze eindelijk haar moed eens bij elkaar rapen en volgend weekend haar moeder en Britt met een bezoekje vereren om te zien hoe de zaken ervoor staan. De laatste keer dat ze geweest is, was meer dan drie maanden geleden. Haar moeder was opgewekt, Britt vrolijk. Alles leek in orde. Daarna had Isabel zich voorgenomen een volgende keer niet zo lang te wachten, maar tegen die tijd schoof ze het steeds voor zich uit.

Het komt door de herinneringen, weet ze. Zodra ze de straat in komt rijden, wordt ze bedolven door herinneringen waaraan ze het liefst niet meer denkt. De straat en het huis staan voor verdriet, eenzaamheid, angst, en het weten dat ze alles verkeerd aanpakt.

'Jij kunt ook niets!' Hoe vaak heeft ze die uitroep niet gehoord?

Als ze alleen al aan thuis dénkt, raakt ze gedeprimeerd. Daarom schuift ze die herinneringen zo ver mogelijk weg als ze in Arnhem is. Ze praat nauwelijks over haar jeugd en haar verleden, zelfs niet met haar beste vriendin. Lauren weet veel van haar, maar lang niet alles.

Door de komst van haar vader dreigt het verleden haar in te halen, maar desondanks voelt het wel goed om haar hart bij hem te luchten. Zodra hij weer naar Amsterdam vertrekt, is het voorbij. Ze zal doorgaan alsof er niets gebeurd is, maar dat bezoek aan Britt kan ze niet te lang meer uitstellen. Hun korte telefoongesprek blijft haar meer dwarszitten dan ze zichzelf wil toegeven.

'Waarom heb je niet verteld dat je vader bij je logeert?'

Isabels angst is bewaarheid geworden: Lauren staat aan het eind van de middag onverwacht voor haar deur, met rode wangen en omringd door frisse buitenlucht. Ze geeft Dennis een hand. 'Wat leuk om nu eens kennis met u te maken.'

De kennismaking lijkt hem ook te bevallen. Hij glimt in ieder geval van oor tot oor.

'Die dochter van u is zo gesloten als een oester,' ratelt Lauren enthousiast door. 'Ik moet altijd alles uit haar trekken. Maar wat gezellig dat u hier bent. Blijft u lang?'

'Nog een paar dagen,' antwoordt Isabel in plaats van Dennis. Ze ziet de verwonderde blikken van zowel Dennis als Lauren, maar vervolgt opgewekt: 'Nu begrijp je misschien waarom ik gisteravond niet uit wilde. Zo vaak zie ik mijn vader niet en nu hadden we eindelijk eens tijd om uitgebreid te praten.'

'Ik dacht dat het met Mike te maken had. Ineens kondigde je aan dat je wilde vertrekken. Een volgende keer kun je gewoon vertellen dat je vader er is, dan hoef ik niet een hele avond te lopen piekeren of ik iets verkeerd heb gedaan.' Lauren glimlacht zuurzoet. 'Zelfs Mike voelde zich schuldig. Hij is overigens wel erg van je onder de indruk. Ik hoop niet dat je het erg vindt dat ik hem je telefoonnummer heb gegeven. Met die Bob wil het nog niet zo vlotten, en daarom dacht ik dat het niet zo verkeerd zou zijn als Mike ook een poging doet.'

Lauren ratelt, zoals alleen zij dat kan.

'Is mijn dochter zo populair bij het mannelijk deel van de bevolking?' wil Dennis weten. 'Dan is het maar goed dat ik er nu ben.'

'Ik ben geen veertien meer.' Isabel voelt zich belachelijk. 'Tegenwoordig ben ik heel goed in staat om op mezelf te passen.'

'Dat ben je altijd geweest.' Hij is nu weer serieus. 'Gelukkig maar, want anders had ik me nu nog schuldiger gevoeld.'

'Onzin,' kapt ze het gesprek af. 'Wel toevallig dat je die Mike gisteren zo ineens tegenkwam,' gaat ze tegen Lauren verder om haar vader weer af te leiden.

'Zo toevallig was dat niet.' Laurens grijze ogen ontwijken die van Isabel. Ze speelt met een lok van haar lange, blonde haar, draait die om haar wijsvinger en laat weer los. 'Mike komt daar ook vaker. Hij woont er in de buurt. Bovendien had ik hem gisteren een sms'je gestuurd dat wij 's morgens na afloop van het winkelen waarschijnlijk daar een poosje zouden zitten.'

'Dat meen je niet! Je hebt me er dus gewoon ingeluisd?'

Lauren haalt haar schouders op. 'Nou, erin geluisd... Mike zag je foto op Facebook en wilde je graag leren kennen.'

'Ik kan er geen ander woord voor vinden. Voor mij voelt het in ieder geval alsof je me erin geluisd hebt.' Isabels stem klinkt ijzig. 'Ik maak zelf wel uit met wie ik graag kennis wil maken. Vertel hem maar dat ik geen behoefte aan zijn sms'jes heb.'

Er valt een ongemakkelijk zwijgen, dat Dennis nog enigszins probeert te verzachten door op te merken dat Lauren nu misschien wel in de gaten heeft dat zijn dochter prima voor zichzelf kan zorgen.

Ineens verlangt Isabel heel erg naar het moment waarop hij weer naar zijn eigen huis zal gaan. Lauren vat zijn commentaar op als het startsein voor een spervuur van vragen over Isabel als kind.

Geërgerd hoort ze hem daarop open en eerlijk antwoorden dat hij daar niet zo veel van heeft meegekregen omdat hij grote problemen met haar moeder had.

Isabel kan zijn verhalen nauwelijks verdragen. Wat zij de afgelopen tijd in haar nieuwe woonplaats zorgvuldig heeft opgebouwd, haalt hij totaal onderuit. Vanaf nu zal Lauren met andere ogen naar haar kijken. De vraag is welk effect dit op hun vriendschap zal hebben.

'Ik heb een enorme bewondering voor Isabel,' hoort ze hem trots zeggen als ze naar de keuken loopt om iets te drinken in te schenken. Alsof dat iets goedmaakt. Zou hij nou zelf ook niet in de gaten hebben wat hij haar aandoet?

Lauren blijft lang zitten, maar ze slaat Dennis' aanbod om te blijven eten en zo zijn kooktalent te ontdekken vriendelijk maar beslist af.

Hun afscheid is hartelijk. Lauren meldt dat ze het heel gezellig vond en dat ze hoopt dat ze elkaar nog eens zullen ontmoeten.

'Kom anders een keer met Isabel mee als ze me in Amsterdam opzoekt,' nodigt hij haar uit.

Hè ja, dat ontbrak er nog aan.

Natuurlijk reageert Lauren enthousiast. Dat wordt wel anders als ze die oude schuit van haar vader in het echt ziet.

Isabel wil tegen hem uitvallen na het vertrek van Lauren, maar hij brengt fluitend hun glazen naar de keuken en begint aan de voorbereidingen voor het eten, zich kennelijk van geen kwaad bewust.

Ze besluit om alvast de tafel te gaan dekken.

Dennis blijft nog twee dagen, en zowel hij als Isabel komt niet meer op het bezoek van Lauren terug. De tafel is gedekt en het eten is klaar als Isabel uit haar werk komt, maar ze weet dat het niet dat is wat ze na zijn vertrek het meest zal missen.

Het zijn hun gesprekken. Met Dennis lukt het haar wel om herinneringen op te halen. Hij luistert aandachtig naar haar, vertelt af en toe over zijn eigen leven en soms lukt het hen zelfs om te lachen om gezamenlijke belevenissen, destijds treurig, maar bij nader inzien ook humoristisch.

'Weet je nog die keer toen we bij opa en oma Blankvoort waren?' vraagt Isabel de laatste avond. 'We gingen er haast nooit heen, maar als kind vond ik het er heerlijk. Dat kwam vooral door het feit dat opa me dan meenam om eieren in het kippenhok te gaan rapen.'

Dennis knikt. Hij weet het nog. Hij weet ook dat Bianca en hij er allebei een hekel aan hadden om zijn ouders op te zoeken. Ze mochten Bianca niet en dat lag er duimendik bovenop, maar voor Isabel waren ze altijd lief. De spaarzame keren dat hij hen nu bezocht, vroegen ze nog altijd naar haar. Laatst gaf zijn vader aan dat hij het jammer vond dat ze haar nooit meer zagen. Die opmerking houdt hij op dit moment voor zich. Hij concentreert zich weer op het verhaal van Isabel.

'We zouden net gaan eten toen mama ineens naar huis wilde, en als ze zich dat in haar hoofd had gehaald, kon niemand daar ook meer iets aan veranderen.'

'Die keer besloot ik om er eens niet aan toe te geven,' knikt Dennis. 'Ik zei dat ze best mocht gaan, maar dat ze dan zelf maar moest zien hoe ze thuiskwam. De autosleutels had ik namelijk in mijn zak, dus ik dacht dat ze geen kant op kon.'

'Maar ze was zo slim om vooraf de reservesleutels in haar tas te stoppen. Jij was er zo van overtuigd dat ze niet weg kon komen, dat je haar niet eens in de gaten hield. En ineens zagen we onze auto vertrekken met mama erin. Wat was jij toen witheet.'

'Ik probeerde het niet zo te laten merken, maar ik was in paniek. Mijn portemonnee lag namelijk ook in de auto.'

'Waarom vertelde je dat niet gewoon aan opa en oma?'

'Ze hadden het al niet zo op je moeder.' Hij aarzelt even. 'Daarom kwamen we er zo weinig. Als ik zou zeggen dat ik geen cent bij me had, zou dat voor hen aanleiding zijn om nog meer op haar af te geven dan ze al deden. Dat kon ik niet verdragen. Het leek me beter om te zeggen dat we na het eten naar het station zouden wandelen en dan met het openbaar vervoer wel thuis zouden komen.'

'Zodra we uit het zicht waren, stonden we aan de kant te liften.' Isabel gnuift. 'En omdat je met zo'n klein meisje langs de kant van de weg stond, stopten er al gauw mensen. Die moesten naar Kampen en van daaruit kregen we ook zo weer een lift naar de Noordoostpolder. Ik vond het superspannend en ook hartstikke tof. En thuisgekomen, was jij hevig verontwaardigd, maar mama vond het heel gewoon: ze had je toch gewaarschuwd? Je had zelfs gezegd dat ze mocht gaan.'

Dat ze er nu om kunnen lachen, maakt het verleden een beetje lichter. Isabel ontdekt dat ze tegen het vertrek van haar vader opziet, maar onherroepelijk volgt na hun laatste avond samen ook hun laatste gezamenlijke ontbijt, en daarna moeten ze afscheid nemen. Isabel gaat naar haar werk en bij thuiskomst zal haar vader terug in Amsterdam zijn.

'Laten we elkaar nu niet meer loslaten.' Dennis legt zijn handen op haar schouders. 'Deze dagen hebben onvoorstelbaar veel voor me betekend. Dank je wel voor je gastvrijheid.'

'Je bent altijd welkom.'

Ze legt haar hoofd tegen zijn schouder.

'Weet je dat zeker?' hoort ze hem zeggen. Hij dwingt haar op afstand en kijkt diep in haar ogen, opnieuw zijn handen op haar schouders. 'Ik kan er ook onverwacht staan, terwijl jij bezoek hebt van je vriendin, of iemand anders, die in feite niets van jou weet...'

Ze ontwijkt zijn blik.

'Je verleden hoort bij je,' gaat hij verder. 'Zoals je koperrode haar ook een deel van je is. Die haren en dat verleden maken je tot wie je bent.'

'Ik wil niet dat mijn vrienden ervan weten... hier ben ik opnieuw begonnen.'

'Dat mag. Heden en toekomst zijn belangrijk, maar je verleden heeft je gevormd tot de sterke, mooie vrouw die je nu bent. Tegenover goede vrienden hoef je er niet over te zwijgen. Lauren wil je vriendin zijn om wie je bent, niet om hoe je verleden eruitzag. Veel zwijgen maakt eenzaam, want niemand leert je echt kennen. Hé, niet huilen... dat was niet m'n bedoeling.'

Ze lacht door haar tranen heen.

Hij zwaait haar later na tot ze met haar auto het parkeerterrein af rijdt. Het beeld hoe hij op de galerij staat, een nog niet zo oude, maar toch verweerde man, met blond, schouderlang haar, blijft haar nog heel lang bij. Dennis... haar vader...

Onderweg dringt het ineens tot haar door hoe ze hem al die jaren heeft gemist.

Haar tranen zijn vandaag niet te stuiten.

En natuurlijk staat Bob Langebeke aan het eind van de morgen weer voor haar neus. 'Je wacht al met smart op me, zie ik.' Hij dempt zijn stem als hij de oudere heer in de wachtkamer ziet zitten. 'Gaat het wel goed met je?' Onderzoekend neemt hij haar op. 'Ik weet niet of ik het goed heb, maar je ziet er een beetje treurig uit.'

'Ga maar gauw in de wachtkamer zitten. Je wordt zo wel opgehaald.' Isabel hoopt dat hij haar tranen niet zal zien. Wat is er aan de hand? Jarenlang heeft ze geen traan gelaten, maar nu, na de logeerpartij van haar vader, is er geen houden meer aan. Als hij maar niet blijft staan... Maar hij leunt heel even naar voren, legt zijn hand op de hare en draait zich om.

'Wat heb je tegen haar gezegd?' wil de oude man in de wachtkamer verontwaardigd weten. 'Ze is altijd zo vrolijk, en moet je nou toch eens kijken.'

Ze lacht om Bobs verbouwereerde gezicht, droogt haar tranen en loopt naar achteren om buiten het zicht van de heren kopieën te maken en een beetje tot zichzelf te komen.

De lente zit in de lucht. Als Isabel aan het eind van haar werkdag naar buiten komt, ademt ze diep in. Voorbij zijn de donkere dagen en de winterse kou. Sinds een dag zijn de temperaturen omhooggeschoten tot boven de tien graden, de zon heeft de hele dag geschenen en de pittige geur van het voorjaar doortintelt haar met hoop en verwachting. Onderweg vallen haar de krokussen in de bermen op.

Thuis treft haar de stilte. Kun je zo snel wennen aan de aanwezigheid van een ander?

Ze weet niet wat ze wil eten, zoekt in haar inmiddels bijna lege koelkast en besluit om alleen een paar eieren voor zichzelf te bakken. Onderwijl draaien haar gedachten rond haar vader. Hoe voelt hij zich op dit moment? Ondanks het zonnige voorjaarsweer zal het op zijn boot vast nog fris zijn. En heeft hij wel iets te eten? Had ze hem niet wat geld moeten meegeven om iets te eten te halen? Ze overweegt hem te bellen, maar als ze de eerste nummers heeft ingetoetst, legt ze de telefoon toch weer weg.

Voor de televisie eet ze haar brood met ei en volgt het journaal zonder veel interesse.

Vanmorgen was Bob na zijn behandeling naar haar toe gekomen. 'Ik weet niet wat er aan de hand is, maar zullen we maar even wachten met een nieuwe afspraak? Ik vond het de vorige keer fantastisch. Elke dag moet ik eraan denken, en vooral aan jou. We hebben fijn gepraat en voor mijn gevoel klikte het echt tussen ons. Zullen we de volgende keer weer eens afspreken? Als je me nodig hebt, kun je me bellen of mailen.' Hij legde een briefje met zijn telefoonnummer en e-mailadres voor haar neer.

Ze propt een te grote hap in haar mond. Zijn begrip heeft haar gevoelens voor hem versterkt, al weet ze zeker dat ze hem niet zal bellen.

'Tegenover goede vrienden hoef je niet over je verleden te zwijgen,' had haar vader vanmorgen gezegd. Als Bob ooit een vriend zou worden, of zelfs meer, zou ze het dan aandurven om hem te vertellen uit wat voor nest ze komt? Zou ze hem durven vertellen over haar verleden?

Ze toetst nu toch het telefoonnummer van haar vader in, maar hoort alleen zijn stem op de voicemail. Teleurgesteld neemt ze nog een hap.

Tegenover Lauren had ze het lang voor zich kunnen houden, maar sinds de middag dat Lauren onverwacht kwam, is alles anders geworden. Over en weer bleef het de laatste dagen stil. Normaal bellen ze elkaar minstens één keer per dag, ze lezen elkaars nieuwtjes op Facebook en reageren daarop, of sturen berichtjes via de telefoon. Een dergelijke stilte is niet eerder voorgekomen.

Komt het doordat haar vader Lauren een kijkje in Isabels verleden heeft gegund? Gebeurt nu waarvoor ze al die tijd bang is geweest? Vroeger wist ze dat vriendschap voor haar onmogelijk was. Ze legde zich erbij neer. Voor haar waren er geen verjaardagsfeestjes, geen groepjes waar ze zich bij kon aansluiten tijdens de pauze, voor haar was er geen vriendin aan wie ze alles vertelde. Nu ze terugkijkt, had ze dat niet eens heel erg gevonden. In die tijd wist ze niet beter.

Nu weet ze het wel, en de gedachte dat er een einde aan haar vriendschap met Lauren zou komen, is onverdraaglijk.

Er ligt nog een halve boterham op haar bord, maar ze krijgt ineens haast. Even overweegt ze Lauren te bellen, maar die gedachte verwerpt ze ook direct weer.

Vijf minuten later is ze op weg naar haar beste vriendin.

Isabel heeft tot voor de gesloten, verveloze deur van Laurens kamer geoefend op haar inleiding voor het moment waarop ze oog in oog zouden staan, maar als het moment daar is, komt ze niet verder dan een gefluisterd 'Sorry…'

'Wat ben ik blij dat je er bent.' Lauren slaat een arm om haar heen en knuffelt haar hartstochtelijk. 'Kom gauw binnen. Kind, wat supergeweldig dat je er bent.'

Muziek davert door de gang als een van de andere deuren wordt geopend en een student met glad, vettig haar, gekleed in een zwart shirt en spijkerbroek, op zijn sokken als een schaduw langs hen heen glipt in de richting van de gemeenschappelijke keuken.

'Het was zo raar de afgelopen dagen. Ik voelde me echt beroerd omdat ik niets van je hoorde, maar misschien had ik zelf ook wel iets van me moeten laten horen. En misschien moet ik ook m'n excuus aanbieden. Ik had die ontmoeting met Mike niet moeten regelen, en dat ik je telefoonnummer aan hem heb gegeven was ook stom. Ik had hem meteen moeten zeggen dat je al iemand hebt die je wel leuk vindt. Het is… misschien was ik bang om je kwijt te raken. Die Bob lijkt me zo serieus, en zelf kun jij ook zo gruwelijk serieus zijn.'

'Dat valt toch wel mee?' Isabel sluit de deur achter zich, waardoor de harde muziek enigszins gedempt, maar toch nog steeds duidelijk hoorbaar blijft.

Lauren heeft er geen moeite mee. Integendeel, ze beweert dat ze het wel makkelijk vindt omdat ze nu zelf geen radio hoeft aan te zetten. Zij liever dan Isabel, die knettergek van die herrie zou worden, en misschien nog wel meer van het feit dat ze de gruwelijk smerige keuken met anderen moet delen. Lauren houdt vol dat ze zich eenzaam zou voelen in een flat.

'Heb je al gegeten?' Op de lage salontafel staat een bord met rijst en een saus van een onbestemde, gelige kleur.

'Eet rustig verder. Ik maak wel een kop koffie voor mezelf.' Isabel voelt zich thuis, ondanks de chaos in de kamer. Laurens bed en de stoel ernaast liggen bezaaid met kleren, die achteloos uitgetrokken en neergesmeten lijken te zijn. Een oud kastje staat vol met kleurige potjes kruiden, met aangebroken pakken frisdrank en koeken. Aan de wanden hangen posters van zonnige stranden en cultuursteden, die Lauren in haar leven allemaal nog eens wil bezoeken. Op het gammele teakhouten dressoir in jarenzestigstijl, staan een Senseo-apparaat en een blad met kopjes. De bovenkant van het dressoir is bezaaid met kringen. De hele kamer ademt troep en smerigheid uit, en daartussen huist Lauren, altijd tot in de puntjes verzorgd, keurig gekleed, met lang, blond, onberispelijk haar, alsof ze in de verkeerde film figureert.

Ze heeft nu haar pumps uit geschopt en zit met gekruiste benen op de bank vol onbestemde vlekken, die stilletjes getuigen van de gerechten die Lauren daarop in de afgelopen jaren zoal heeft genuttigd.

'Je líjkt niet gruwelijk serieus,' komt Lauren op het onderwerp terug, terwijl ze zachtjes met de palm van haar hand op de plek naast haar klopt. 'Kom lekker bij me zitten.' Ze neemt een hap, wacht tot ze haar mond leeg heeft en vervolgt: 'Ik dacht dat ik alles van je wist, maar er bleef altijd iets ongrijpbaars, waardoor ik het idee had dat ik je niet helemaal kende. Dat heeft me vaak beziggehouden. Meestal meende ik dat ik het me verbeeldde. Je bent vrijwel altijd vrolijk, maar het voelt voor mij vaak als opgelegde vrolijkheid. Die komt niet uit jezelf, zal ik maar zeggen.'

'Sinds ik ben verhuisd, voel ik me wel een stuk gelukkiger,' werpt Isabel tegen.

'Dat begrijp ik wel, maar de vraag is of dat werkelijk zo is. Kan het ook zijn dat je al je verdriet hebt weggestopt?'

Tot Isabels opluchting verwacht Lauren geen antwoord.

'Ik begrijp nu in ieder geval waarom je mij nooit meevraagt naar de Noordoostpolder om kennis te maken met je moeder en je zusje,' gaat Lauren door. 'Thuis is voor jou niet wat het voor mij betekent: een huis met warme ouders die belangstelling voor me hebben en van me houden. Als je het aandurft, zou ik het fijn vinden als je me meer over jezelf, je ouders, je jeugd vertelt.'

De koffie is warm en pittig. Isabel legt haar handen rond het kopje alsof ze er steun aan wil ontlenen.

'Mijn moeder…' begint ze haperend. 'Ik vraag me af of mijn moeder wel in staat is om van iemand te houden. Van mij houdt ze in ieder geval niet.' Haar woorden komen traag als stroop, maar rijgen zich in de loop van haar verhaal steeds sneller aaneen.

Lauren vergeet te eten. Geschokt probeert ze de stroom aan informatie te verwerken die de moeizame, eenzame jeugd van Isabel weergeeft. Haar bord belandt op tafel als Isabel eindelijk haar verhaal beëindigt en nog steeds haar best doet om haar tranen tegen te houden.

'Isa toch…' Lauren slaat haar armen om Isabel heen, tranen

rollen over haar wangen en komen op het lentegroene shirt van Isabel terecht. Ze hebben er geen van beiden erg in, hun tranen vermengen zich.

Als ze een uur later in het donker naar huis fietst, voelt Isabel zich opgelucht. Door haar verhaal te vertellen is niet gebeurd waarvoor ze zo bang was. Integendeel: haar vriendschap met Lauren lijkt zich juist te hebben verdiept.

Dat geeft haar de moed om de knoop door te hakken. Komende zaterdag gaat ze naar Britt. Morgen zal ze haar moeder bellen, die vast en zeker allerlei smoezen zal verzinnen, waardoor een bezoek hoogst ongelegen komt. Ze kan haar niet wijsmaken dat Britt naar Roy gaat, want ze had laatst van Britt zelf gehoord dat die weekenden vaak niet doorgingen. De rest van de smoezen kan haar gestolen worden.

Hoe ze ook tegen het bezoek opziet, haar moeder zal haar er niet van kunnen weerhouden.

6

Over de Ramspolbrug rijdt Isabel die zaterdagmorgen de Noordoostpolder binnen, de streek die zo veel tegenstrijdige gevoelens bij haar oproept. Vertrouwd is de aanblik van de akkers, op dit moment nog overwegend kleurloos. Over een maand zullen tulpenvelden de polder inkleuren als een bonte lappendeken. Daarna voert het groen van aardappelplanten, suikerbieten, maïs en het goudgeel van verschillende granen de boventoon. Als kind had ze jarenlang de wisseling van de seizoenen gevolgd, en zelfs door de ogen van het meisje van toen waren die veranderingen intrigerend.

Voor de scheiding van haar ouders bewoonden ze een deel van een zogenaamd arbeidersblok midden tussen de akkers, op zo'n vijf kilometer van het dorpje Nagele. Op haar vierde werd ze door Dennis of haar moeder naar school gebracht. Vanaf haar zesde jaar overbrugde ze zelf met haar kleine fietsje de afstand tussen huis en school. Andere kinderen uit hun buurt fietsten in een groep. Zij hield zich afzijdig, was vrijwel altijd alleen. Ze had dat niet als onprettig ervaren. Soms, als het heel erg koud was, had ze er een hekel aan, maar meestal vond ze het fijn om diep in gedachten verzonken het hele stuk te rijden. In het voorjaar zag ze hoe er gezaaid werd, in het najaar was ze getuige van het oogsten. Enorme machines bevolkten het land. Ze hield ervan om de bedrijvigheid van de verschillende jaargetijden te zien.

Na de scheiding ging ze met haar moeder in Emmeloord wonen, in een oudere buurt. Op haar achtste speelde ze in het kleine speeltuintje vlak bij hun huis met kinderen van Turkse, Marokkaanse, Antilliaanse en Nederlandse komaf. Nooit nam ze iemand mee naar huis.

Isabel zucht onwillekeurig.

Straks zal ze terug zijn in haar oude buurtje, en nog altijd spelen er allochtone kinderen in het speeltuintje dat inmiddels is opgeknapt.

Haar moeder zal de deur opendoen, alsof ze blij verrast is om haar te zien, maar toen Isabel eergisteren belde om haar komst aan te kondigen, probeerde Bianca daar op alle mogelijke manieren en met verschillende smoezen onderuit te komen. Isabel moest al haar overtuigingskracht inzetten om de bezwaren van haar moeder terzijde te schuiven.

'Het komt zaterdag niet goed uit,' was haar moeder meteen begonnen. 'Britt gaat naar Roy, het is haar beurt om bij hem te zijn...'

'Ik heb Britt al gevraagd. Ze gaat niet naar Roy.'

'Dan moeten we nodig nieuwe kleren voor het voorjaar kopen.'

'Afgelopen weekend had je toch ook al kleren gekocht? Britt vertelde me in ieder geval dat jullie samen hadden gewinkeld.'

Bianca zocht naar nieuwe smoezen. Isabel wist op elke smoes een afdoend antwoord te verzinnen.

'Kom dan maar,' had Bianca op het laatst weinig uitnodigend verzucht. 'Neem je wel zelf iets voor bij de koffie mee? Ik heb deze maand nog geen cent ontvangen en we zitten momenteel erg krap.'

Het lijkt alsof haar moeder niet anders kan dan liegen. Waarschijnlijk heeft ze Roys maandelijkse bijdrage in het onderhoud van Britt er vorige week in één keer doorheen gejaagd. Ze kan gewoon niet met geld omgaan. Isabel had die gedachten wijselijk voor zich gehouden.

Met een vaart rijdt ze Ens voorbij, dat sinds de aanleg van de nieuwe weg onopvallender in het landschap lijkt te liggen. In de verte ziet ze het viaduct al. Een eind verderop kan ze de afslag nemen om naar Emmeloord te gaan.

Iets zwaars drukt op haar borst, een gevoel van benauwdheid dat lijkt toe te nemen bij elke meter die haar dichter bij het huis van haar moeder brengt.

Britt heeft al voor het raam gestaan. De deur gaat al open nog voordat Isabel het pad op loopt met een doosje gebak en een boeket met rode tulpen.

'Eindelijk! Eindelijk! Eindelijk!' Slungelige meisjesarmen strengelen zich rond haar hals. 'Ik vind het zo supercool dat je er bent!'

'Ik ook.' Isabel kan ineens weer wat lichter ademhalen. 'Ik heb je gemist.'

'Je liegt, want anders was je wel eerder gekomen...' Britt grijnst breed.

'Britt, geef je zus even de gelegenheid om haar jas uit te doen,' klinkt vanuit de kamer de stem van haar moeder. Bianca verschijnt in de deuropening, haar haren warrig rond haar smalle, licht opgemaakte gezicht. Ze draagt een knalroze huispak. Kennelijk was de komst van Isabel niet belangrijk genoeg om zich een beetje leuk aan te kleden. 'Ga jij maar vast koffiezetten. Dat had ik nog niet gedaan, want ik wist niet hoe laat Isabel zou komen.'

'Ik had je toch gezegd dat het een uur of elf zou worden?' Isabel doet haar best om niet direct geïrriteerd te raken.

'Nee hoor, ik weet zeker dat je daar geen woord over hebt gezegd. Anders had ik het toch nog wel geweten? Maar fijn dat je er bent. En wat een leuke bloemen. Het is een beetje jammer dat tulpen altijd maar zo kort staan, maar de kleur is wel erg mooi. Britt, neem jij die mee naar de keuken?'

'Ik kom je zo helpen,' belooft Isabel. 'Dan zal ik m'n traktatie ook op schoteltjes zetten.'

'Alsof Britt dat zelf niet kan. Ze is inmiddels negen, hoor.'

Isabel doet alsof ze het gemopper van haar moeder niet hoort. Ze zet haar tas in de kamer en verdwijnt met haar gebaksdoos naar de keuken, terwijl haar moeder zich verongelijkt terugtrekt op de bank en een sigaret opsteekt.

'Hoe is het met m'n grote, kleine zus?' wil Isabel weten, terwijl ze Britt van top tot teen monstert. 'Je bent langer geworden sinds ik je de laatste keer heb gezien. Het spijt me echt dat ik er op je verjaardag niet bij kon zijn.'

Britt haalt haar smalle schouders op. 'Je bent er nu toch?'

'Ja, ik ben er nu, en ik ben van plan om er een gezellige dag van te maken. Straks moeten we ook nog kijken waar we samen naartoe gaan, als cadeau voor je verjaardag.' Ze praat opgewekt, zet onderwijl schoteltjes klaar en terwijl Britt de smakelijke gebakjes erop deponeert, snijdt zij een stukje van de bloemstelen af voordat ze die in de vaas zet. Ondertussen monstert ze Britt onopvallend. Misschien moet ze straks ook maar een leuk shirt voor haar kopen. Wat ze nu draagt ziet er tamelijk verwassen uit. Het is duidelijk dat haar moeder Roys alimentatie niet voor Britt gebruikt. Vandaag moet een dagje vol geluk voor haar zusje worden. Uit ervaring weet ze dat zo'n dag weer kracht geeft voor alles wat er nog komt...

Bianca wil niet mee als Isabel voorstelt om ergens te gaan lunchen. 'Gaan jullie maar met z'n tweeën. Ik ben moe.' En op Isabels aandringen: 'Doe nu maar niet alsof je er prijs op stelt als ik erbij ben. Ik weet wel hoe je over me denkt en ik begrijp ook waarom het zo lang heeft geduurd voordat je eindelijk je neus hier weer eens laat zien.' Met een handgebaar legt ze Isabel het zwijgen op als die zich wil verweren. 'Bespaar me je smoezen. Je maakt me zwart bij Britt, bij je vader, bij Roy, zonder naar jezelf te kijken. Je hebt in mijn leven heel veel kapotgemaakt. Als jij er niet was geweest, zouden Dennis en ik nog samen zijn...'

Isabels verstand zegt dat er geen woord van de beweringen van haar moeder klopt, maar het lukt haar niet om haar schuldgevoel opzij te zetten. Ogenblikkelijk speelt het op, het dringt door tot in haar tenen. Van Dennis heeft ze genoeg gehoord om te weten dat hij juist extra lang in zijn uitzichtloze huwelijk bij haar moeder is gebleven vanwege haar. Ze probeert zich zijn woorden in te prenten.

'Zoals je wilt,' accepteert ze de weigering van haar moeder koeltjes. 'Dan gaan Britt en ik samen.'

Het komt haar op een scheldkanonnade te staan. 'Zie je wel! Je probeert Britt ook al van me af te troggelen... Als kind was je al een ondankbaar nest. Vraag Dennis maar. Hij kon het niet meer aan met jou!'

Isabel grijpt de jassen van Britt en zichzelf van de kapstok en trekt Britt met zich mee naar buiten.

'Maar als ik het niet meer kan verdragen... spijt... te laat... ik doe mezelf iets aan...'

Haar geschreeuw achtervolgt hen, dringt aan op ommekeer, want stel je voor dat ze het echt doet?

'Ze doet het niet,' zegt Isabel geruststellend tegen Britt. 'Dit heeft ze al zo vaak tegen me geroepen. Wees maar niet bang.'

De angst heeft zich echter al diep in haar gegraven, want ze herinnert zich die ene keer nog zo goed toen haar moeder haar dreigementen wel had uitgevoerd. Weliswaar op zo'n wijze dat ze wel op tijd gevonden moest worden, maar toch... Isabel zal die dag nooit meer vergeten. Stel je voor... stel je voor... Woorden die maar in haar hoofd blijven nagalmen.

Maar ze pakt resoluut de hand van Britt en loopt de straat uit. 'We gaan er een gave middag van maken,' belooft ze, maar ze weet nu al dat de onrust een ontspannen samenzijn met haar zusje onmogelijk zal maken, hoe ze allebei ook hun best zullen doen.

Toch wordt het gezellig. Ze genieten in een restaurant allebei van een Italiaanse bol met warme beenham. Op haar smartphone laat Isabel een aantal mogelijkheden voor het huren van huisjes aan zee zien. Britts voorkeur gaat uit naar een huisje in Egmond aan Zee, dat Isabel maar meteen voor een week in mei reserveert. Vervolgens lopen ze alle winkels met leuke kinderkleding af, zodat Britt een paar uur later drie kleurige, modieuze shirts, een strakke spijkerbroek en stoere schoenen rijker is.

Isabel geniet van Britts stralende gezicht, dat even het gezicht van een zorgeloos kind lijkt. Zo zou ze er altijd uit moeten zien, bedenkt Isabel, en de woorden van Dennis schieten haar weer te binnen: 'Ik neem je moeder niet kwalijk dat ze psychische problemen heeft, maar wel dat ze weigert die te onderkennen en dus vindt dat ze geen hulp hoeft te zoeken. Daardoor doet ze niet alleen zichzelf tekort, maar ook haar omgeving in ernstige mate.'

Haar moeder heeft twee dochters, die ze allebei het recht op een onbezorgde, rustige jeugd heeft ontnomen. Op alle mogelijke manieren tracht ze hun de vreugde en het plezier in de leuke dingen van het leven te onthouden.

Vanmiddag is haar dat uiteindelijk niet gelukt, concludeert Isabel in stilte. Het zware schuldgevoel heeft haar verlaten. De stille, donkere woede blijft, maar weet het niet te winnen van het genoegen dat ze nu smaakt om alleen met Britt op stap te zijn.

Als ze in een winkel op een knalrode, nauwsluitende broek stuit, waarvan Britt beweert dat-ie Isabel 'supercool' staat, is haar geluk voor even helemaal compleet.

Meteen nadat Isabel en Britt het pad af zijn gelopen, schijnbaar doof voor haar verwijten, zijn de stemmen weer gekomen. Ze laten zich niet weerhouden door haar handen die Bianca krampachtig tegen haar oren drukt.

'Je bent waardeloos,' zeggen die stemmen. 'Niemand houdt van je omdat je alles verprutst. Je kinderen vertrekken gewoon, ook al heb je hun gezegd dat je jezelf iets aandoet. Het interesseert hen niets.'

Ze hapt naar adem, probeert de stemmen te negeren door de koffiekopjes naar de keuken te brengen en een begin te maken met de afwas. De stemmen gaan onverstoorbaar door.

'Iemand die zo'n puinhoop van haar leven maakt, is het ook niet waard om je druk over te maken. Isabel heeft gewoon gelijk dat ze met Britt vertrekt om leuke dingen te gaan doen.'

De bel snerpt door het huis. Bianca betrapt zich erop dat de afwasborstel al een poos werkeloos boven het teiltje hangt, terwijl zij vecht met de stemmen. Ze wil de deurbel het liefst negeren, want ze kan op dit moment geen mens verdragen, maar degene die voor de deur staat denkt daar anders over. Nogmaals gaat de bel over en als ze ook dan niet reageert, wordt de knop onophoudelijk ingedrukt. Het doordringende gerinkel maakt haar horendol.

'Hou op!' schreeuwt ze als ze de deur opentrekt, om meteen daarna fluisterend verder te gaan: 'Patrick? Wat doe jij hier?' Opluchting en angst strijden om voorrang. In zijn nabijheid krijgen de stemmen geen kans. Hij vertelt haar dat ze prachtig is, dat ze bij hem hoort en dat hij haar wil. Maar hij is ook de man die altijd zijn zin doordrijft, die desnoods met dwang aan zijn trekken wil komen, die te vaak over Britt praat.

Ze wil hem nu niet binnenlaten, maar hij duwt haar gewoon aan de kant. 'Mij hou je niet voor de gek. Ik weet dat je thuis bent, dus de volgende keer moet je me niet zo lang laten bellen.'

Zijn mond gaat meteen op zoek naar de hare als hij haar dicht tegen zich aan trekt. 'En je dochters zijn samen vertrokken. We hebben het rijk alleen, schoonheid... Je hebt trouwens heel mooie dochters.'

Als hij zo praat, neemt haar angst alleen maar toe. Ze weet zich los te rukken. 'Mijn dochters kunnen elk moment weer terug zijn. Ik wil niet dat je bij me bent als Isabel hier ook is. Ik vind het trouwens ook niet fijn als je hier komt terwijl Britt gewoon thuis is. Ze hoort alles.'

Zijn handen omvatten haar gezicht. 'Laatst haalde je me anders zelf op.' Hij grijnst. 'Het kan nooit slecht voor een kind zijn als ze de liefde hoort. Liefde is toch het allerbelangrijkste in een mensenleven? Vind je ook niet?'

'Ik wil dat je nu weggaat.'

'Die meiden van je komen voorlopig echt niet terug.' Hij laat haar gezicht los. 'Ze zagen eruit alsof ze het samen heel gezellig hadden.'

'En toch wil ik nu niet dat je hier bent. Misschien moet je voorlopig maar helemaal niet meer komen. Dat is beter voor ons allebei. Tussen ons kan het toch niets worden.' Patrick steekt zijn hand naar haar uit. Ze wijkt terug. Zijn donkere ogen grijpen de hare, diep en doordringend. 'Tussen ons is het al wat.' Hij glimlacht, maar zij hoort duidelijk de dreigende toon in zijn stem. 'Vergeet dat niet, Bianca. Jij en ik horen bij elkaar, verbonden door in ieder geval vierhonderdachtenzeventig eurootjes, die je me inmiddels bent verschuldigd. Of wil je die nu meteen terugbetalen?'

'Je krijgt ze echt binnenkort terug.'

'Binnenkort duurt bij jou best lang, want ik hoor dit nu al een poosje. Weet je wat het is, liefje? Ik denk dat je me binnenkort gewoon weer nodig hebt.' Zijn wenkbrauwen gaan omhoog. 'Denk je ook niet?' Zijn hand streelt haar wang en veroorzaakt een huivering. 'Of denk je dat je die vierhonderdachtenzeventig euro aan het eind van de week wel terug hebt betaald? In dat geval praat ik nergens meer over.'

'Ik denk wel dat je het geld aan het eind van de week terug hebt,' zegt ze moedig, maar ze weet zeker dat haar dat niet gaat lukken en even zeker is ze van het feit dat hij daar ook van overtuigd is. Tegen die tijd ziet ze wel weer. Als hij nu maar vertrekt. Isabel mag hem niet ontmoeten. Bianca kan zelf niet aangeven waarom ze dat niet wil, maar het voelt niet goed.

Even is ze nog bang dat hij haar wens gewoon negeert, maar tot haar opluchting draait hij zich toch om. 'Zoals je wilt. Ik zie het bedrag graag tegemoet.' Hij glimlacht, blijft bij de deur toch nog even staan en kijkt haar doordringend aan. 'Je hebt me nodig, Bianca. Denk daar goed aan. Alleen red je het niet.'

Als ze de deur achter hem sluit, is er van haar opluchting al niets meer over.

Beladen met kleurige plastic tassen lopen ze door de buurt die zo veel herinneringen bij Isabel oproept. De kleine voortuintjes, die in haar jeugd beter onderhouden werden dan tegenwoordig. Bijna overal overheerst het onkruid, dat schuchtere krokussen overwoekert die ooit in de vroege lente de overhand hadden. Paradijsjes zijn wildernissen geworden, schotelantennes aan schuren stralen heimwee naar een ver thuisland uit.

In de loop van de wandeling naar huis zijn Britt en Isabel steeds zwijgzamer geworden. Vage onrust groeit uit tot een zwaar gevoel van twijfel.

Bij het speeltuintje blijft Isabel staan. Hier lijkt niets veranderd: kinderen spelen, een moeder houdt aan de kant haar kroost in de gaten, grotere jongens voetballen op het veldje. Isabel voelt de klamme hand van Britt in de hare.

Een jonge vrouw met een wandelwagen gaat naast hen staan. Ze draagt een zwarte doek, kunstig rond haar hoofd gevouwen. Haar stem roept iets onverstaanbaars, een kind antwoordt. Vanuit de wandelwagen staart een peuter Isabel aan met grote, bruine ogen. Haar glimlach wordt niet beantwoord.

'Hoe oud is hij?' vraagt ze als de vrouw haar kant op kijkt.

'Anderhalf.' Het klinkt trots. 'En hij is zo makkelijk. Heel anders dan zijn broertje. Die heeft zo veel gehuild dat ik dacht dat ik gek werd.' Ze buigt zich over het kind heen, kust het op een van zijn bolle wangen. Liefde straalt aan alle kanten uit haar houding. Isabel vraagt zich af hoe oud de vrouw is en komt tot de conclusie dat ze in leeftijd niet veel met elkaar zullen schelen. Hun omstandigheden wel. Zij kan zichzelf nog niet in de rol van moeder voorstellen. Ze wil geen kinderen, heeft ze zich voorgenomen. Of beter gezegd: ze durft het niet aan om kinderen te krijgen.

Op een hoek van het grasveld vechten kraaien om een korst brood.

'Kom, we gaan weer,' zegt ze tegen Britt. Het liefst zou ze haar zusje mee naar Arnhem willen nemen, maar dat is onmogelijk. Misschien zou het goed zijn als ze wat dichter in de buurt woonde, zodat Britt bij haar aan kon kloppen als ze daar behoefte toe voelde.

Ook die gedachte verwerpt ze. Niet meer aan denken. Ze doet voor Britt wat ze kan, en over een paar maanden gaan ze samen naar zee...

Vlak bij huis wordt er op een van de ramen geklopt. Verwonderd ontdekt Isabel een onbekende man van haar moeders leeftijd, wat jonger misschien, die hen vriendelijk toeknikt en zwaait. Wat aarzelend beantwoordt ze zijn groet, net zoals Britt doet.

'Hier woonde mevrouw Vlier toch altijd?' wil Isabel weten als ze verder lopen.

'Die is een paar maanden geleden gevallen. Dat kwam door een hersenbloeding of zo. Ze kon niet meer alleen wonen en is naar het verpleeghuis gegaan. Mama is een keer op bezoek geweest. Ze vond het heel zielig voor mevrouw Vlier.'

'En deze nieuwe buurman ken je dus ook?'

Britt schokschoudert. 'Mama kent hem. Ze vindt hem aardig.'

'Hoe aardig?'

'Heel aardig, geloof ik.'

Iets treft Isabel in de houding van Britt, iets wat ze het best als angst kan beschrijven.

'Komt hij weleens bij jullie thuis?' wil ze weten.

'Soms... Kijk, er staan in onze tuin ook krokussen,' wijst haar zusje, maar Isabel laat zich niet afleiden.

'Jij mag hem niet, hè?' Ze slaan het smalle pad achter hun huizenblok in.

'Ik weet niet. Hij is wel aardig.'

'Wat is er dan?'

'Laat maar,' zegt Britt, en ze laat haar gewicht tegen de klemmende schuttingdeur vallen, waardoor ze bijna letterlijk met de deur in huis valt. Isabel krijgt zicht op de kleurige tuin, die door Bianca goed wordt onderhouden. Ook hier bloeien gele en blauwe krokussen volop, van elkaar gescheiden door groene, kruipende maagdenpalm, nu nog sluimerend. Bianca heeft er in de zomer haar handen aan vol om die plant in bedwang te houden. Isabels gedachten aan de buurman vervagen als ze naar het grote achterraam kijkt. Meteen haalt ze opgelucht adem als ze haar moeder met een grote schaal koekjes door de kamer naar het zitgedeelte ziet lopen.

Bij binnenkomst geurt het naar zelfgebakken koekjes. De hand van Britt laat die van Isabel los. Opluchting en woede strijden met elkaar. Voor dit moment wint de opluchting.

Op de terugweg naar Arnhem overdenkt Isabel de gebeurtenissen. Haar moeder was opgewekt, had koekjes gebakken en er stond een grote kan thee klaar. Ze kroop even in haar rol van goede moeder.

Als kind had Isabel zich gewenteld in die momenten, die er soms onverwacht waren. Misschien waren ze er vaker geweest dan ze zich nu kon herinneren, maar dat kwam wellicht doordat die andere stemmingen veel meer indruk maakten. Ze maakten haar angstig en vaak voelde ze zich onveilig. Die laatste gedachte brengt haar weer op Patrick, de buurman van wie ze inmiddels de naam heeft gehoord.

'Ik ben zo blij met hem,' zei haar moeder toen Isabel voorzichtig het gesprek op hem had gebracht. 'Hij staat altijd voor me klaar. Mevrouw Vlier was natuurlijk hartstikke aardig, maar ik had verder niets aan haar. Het was wel zielig om haar in dat verpleeghuis te zien zitten. Ze was altijd zo zelfstandig en daar is nu niets meer van over.'

'Probeer een beetje bij die man uit de buurt te blijven,' had Isabel haar zusje als raad meegegeven toen hun moeder buiten gehoorsafstand nogmaals thee inschonk. 'En zorg er in ieder geval voor dat je nooit alleen met hem bent. Als je mijn hulp nodig hebt, bel je maar.'

Ze wist zelf dat het loze woorden waren, alleen bedoeld om zichzelf gerust te stellen. Als die man werkelijk iets slechts in de zin had, kon zij Britt daar op zo'n honderd kilometer afstand niet tegen beschermen.

Waarom ze zo'n slecht gevoel over die buurman heeft, kan ze ook niet echt zeggen. Het had meer met de houding van Britt te maken dan met de man zelf, want hij zag er best vriendelijk uit. Als ze samen naar zee gaan, moet ze Britt er nog eens voorzichtig over uithoren. Misschien haalt ze zich nu te veel in het hoofd en is daar helemaal geen aanleiding voor.

Opgelucht parkeert ze haar auto een kwartier later op de bekende parkeerplaats voor haar flat. In haar brievenbus ligt alleen reclame. Ze neemt weer de trap naar de vijfde verdieping, loopt over de stille galerij en denkt aan een week geleden toen haar vader ineens voor haar deur stond. Toen had ze gebaald, maar uiteindelijk waren het toch goede dagen geworden.

Als ze de voordeur net achter zich dicht heeft geduwd, wordt er aangebeld. Een buurvrouw, stil en schuw, die ze vrijwel nooit spreekt, drukt een boeket rode rozen in haar armen en vertrekt voordat Isabel haar kan bedanken.

Verbouwereerd zoekt Isabel naar een kaartje.

You're the one that I want... leest ze en daaronder de naam van Mike.

Ze wist dat de bloemen niet van Bob konden zijn. Hij kent nog steeds haar adres niet.

Misschien wordt het tijd om hem dat toch eens te laten weten.

7

'Er moet iets aan die schutting worden gedaan,' zegt Patrick een paar dagen later. Hij staat bij Bianca voor het achterraam, zijn handen in zijn zij.

Van een afstandje kijkt ze naar hem. Patrick is een leuke man om te zien, met zijn donkere ogen en zijn donkerblonde haar. Hij draagt een geruit overhemd dat bij zijn hals ver open staat, waardoor zijn smalle, gebruinde borst zichtbaar is. Hij is twee jaar jonger dan zij en hij is in haar geïnteresseerd. Ze zou trots moeten zijn, maar vaker is ze bang omdat ze zijn andere kant ook kent. Misschien zou 'herkent' een beter woord zijn.

'Waarom moet er iets aan die schutting worden gedaan?' vraagt ze als hij zich half omdraait en afwachtend in haar richting kijkt.

'Het hout is vochtig en vermolmd. Ik hoor het elke keer als jullie thuiskomen, en vooral als het Britt is, die zich met heel haar gewicht tegen de deur van de schutting aan gooit.'

'Een andere keer misschien.' Bianca huivert als ze hem in haar richting ziet lopen. 'Je weet dat ik nu krap bij kas zit. Ik kan het me gewoon niet permitteren.'

'Wie zegt dat jij dat betaalt?' Hij legt zijn handen om haar middel.

'Ik wil niet dat jij dat doet, Patrick, ik ben je al zo veel verschuldigd...'

Hij buigt zich naar haar over, zijn lippen raken lichtjes haar hals, waardoor haar rillingen zich verdiepen. Zijn hand glijdt onder haar shirt, trekt kleine cirkels over haar rug. 'Ik doe het graag voor je.' Zijn adem streelt haar hals. 'Voor jou en je dochter wil ik alles doen.'

Dat laatste had hij niet moeten zeggen.

'Voorlopig niet.' Ze maakt zich los. 'Ik zal koffie voor je maken. Die schutting kan nog best een poosje mee. Het is vroeg genoeg om er een nieuwe neer te zetten als deze helemaal kapot is.'

Hij zegt niets meer. Ze recht haar schouders, raakt even zijn broeierige, angstaanjagende blik en verdwijnt in de keuken om koffie te zetten. Na één kopje vertrekt hij naar zijn huis, tot haar opluchting voordat Britt uit school komt. Haar handen beven als ze daarna voor zichzelf nog eens koffie inschenkt.

Die nacht wordt ze wakker van een immens lawaai achter haar huis, en als ze naar beneden rent, ontdekt ze in het licht van de lamp die ze in de achtertuin aanknipt dat de schutting voor een groot deel om ligt.

Patrick beweert de volgende morgen dat hij wakker was geworden omdat het plotseling heel hard waaide.

Een dag later begint hij aan de nieuwe schutting.

'Oom Jos...' Waarom schiet die naam Bianca nu ineens te binnen terwijl ze naar Patrick kijkt die in het zonnetje met hardhouten schuttingplanken in de weer is? Vanaf haar plekje achter het raam kan ze duidelijk zien dat hij fluit.

Het is net alsof die naam altijd ergens in haar achterhoofd is blijven zitten, hoezeer ze haar best ook heeft gedaan om die te vergeten.

'Oom Jos...' De aardigste man van de buurt, graag geziene gast op het jaarlijkse barbecuefeest bij haar ouders in de straat, altijd van de partij bij verjaardagen van de buren. Zij vond hem in eerste instantie ook aardig. Hoe oud zou hij zijn geweest? Was hij van dezelfde leeftijd als Patrick nu? Vreemd, dat je dat als kind zo slecht kunt inschatten.

Oom Jos had rossig haar, met een lok die hij altijd zorgvuldig over zijn voorhoofd drapeerde. Ze herinnert zich ook nog zijn vlezige lippen, waarvan ze een afschuw had. Voor zover ze wist, was hij nooit getrouwd geweest, maar dat deerde hem niet, want 'de hele buurt was zijn gezin', zoals hij zelf zei.

Wanneer was bij haar dat gevoel van onveiligheid begonnen?

Toen hij zijn felicitatie voor de verjaardag van haar vader vergezeld liet gaan van een kus op haar mond? Of op het moment dat hij onverwacht in de keuken stond toen ze alleen thuis was en hij haar vertelde dat hij haar zo mooi vond? Ze herinnert zich in ieder geval nog dat ze het niet prettig vond om bij hem op schoot te zitten toen hij voor Sinterklaas speelde.

Er is een moment geweest waarop ze zich ervan bewust werd dat ze er alles aan deed om bij hem uit de buurt te blijven, bang als ze was voor zijn handen die haar aanraakten op plekken waar ze zich ongemakkelijk en een beetje vies door voelde.

Hij had haar niet misbruikt, zoals hij dat later bij vele andere kinderen in de buurt wel gedaan bleek te hebben. Haar gevoel had haar niet bedrogen, ze had hem voldoende op afstand weten te houden, maar dat gevoel van onveiligheid als ze hem zag, was haar altijd bijgebleven. Ze herkent het in de reacties van haar lichaam als ze Patrick over Britt hoort praten, of als ze ziet hoe hij naar haar dochter kijkt. Op die momenten verstijft ze, vervuld van afschuw, en wil ze alleen nog maar dat hij uit haar leven verdwijnt.

Patrick zal niet meer uit haar leven verdwijnen, dat weet ze ook wel. Daarvoor is ze hem te veel verschuldigd. Hij kan haar maken en breken.

Met een ruk draait ze zich van het raam af en ze probeert zo haar angst weer een beetje de baas te worden. Momenteel bevindt ze zich in een uitzichtloze positie. Het enige wat ze kan doen, is Britt tegen hem in bescherming nemen.

Het is de vraag of haar dat altijd zal lukken.

Dat ze Bob deze week terug zou zien, is voor Isabel een zekerheid, want zijn naam staat op de woensdag onder Freek genoteerd. Wat haar verrast is het feit dat hij een dag eerder bij haar auto staat als ze na werktijd naar buiten komt. Een beetje verlegen overhandigt hij haar een bosje lathyrus in verschillende tinten roze.

'Ik weet dat je niet wilt dat ik afspraakjes met je probeer te maken als je aan het werk bent,' verklaart hij zijn onverwachte komst. 'Vandaar dat ik zo vrij ben om je nu alvast bloemen te geven. Het is een klein, bescheiden, maar heel sierlijk boeket en ik vind juist daarom dat het heel goed bij je past.'

Onwillekeurig schiet haar het enorme boeket met rode rozen van Mike te binnen, waarnaast dit bosje maar iel zal afsteken. Toch is ze hier veel blijer mee, realiseert ze zich, misschien juist door de woorden die Bob erbij heeft gesproken.

'Ik wil je vragen om zaterdagavond eerst met me uit eten te gaan en daarna samen een leuke film te pakken.'

Ze doet alsof ze nadenkt. 'Heb je enig idee naar welke film je wilt?'

'Jij mag het zeggen. We kunnen ook afwachten en kijken wat er draait.' Hij praat luchtig, maar ze leest de spanning op zijn gezicht.

'Laten we dat dan maar doen,' hakt ze de knoop door en ze moet vreselijk lachen als hij haar bij haar schouders pakt en opgelucht een rondedansje maakt.

'Zeg jongeman, denk je aan je blessure?' klinkt het ineens bestraffend achter hen. Freek sluit de deur van de praktijk achter zich en bekijkt het tafereel met een glimlach. 'Morgen zit ik weer met de brokken. En dan heb ik het nog niet eens over onze voortreffelijke medewerkster. Als je haar hart breekt, zou ik me de volgende keer niet meer bij me vertonen als ik jou was.' Hij werpt een blik op het boeketje in Isabels hand. 'Hm, dat zijn toch bruidsbloemen? Loop je niet wat hard van stapel?'

'Nietwaar... dit zijn toch niet... ik wist niet dat...' Bob heeft een kleur gekregen.

Freek stapt met een brede grijns op zijn fiets. 'Ja, ik weet het ook niet, hoor, maar ik weet wel dat mijn zusje en m'n schoonzusje lathyrus in hun bruidsboeket hadden. Maar ik vind ze ook gewoon mooi. En ze passen goed bij Isabel.' Met een luide lach gaat hij ervandoor.

'Sorry... ik wist niet...' Bob is nog steeds ontdaan.

'Welnee, die Freek kletst maar wat. Hij probeert mij ook altijd te stangen en meestal lukt hem dat heel goed. Ik vind je bloemen hartstikke mooi. Waar moet ik zaterdagavond naartoe?'

'Als je mij je adres geeft, kom ik je halen.'

Ze twijfelt. Daarmee lijkt Bob nog dieper in haar leven te dringen, alsof er dan geen weg terug is. Maar hij kijkt haar zo trouwhartig aan dat ze het niet over haar hart kan verkrijgen om te weigeren.

Als ze wegrijdt, ziet ze in haar achteruitkijkspiegel dat hij dwaas over het trottoir huppelt. Ze schiet hardop in de lach.

Het woord bruidsbloemen komt steeds in haar op als ze 's avonds haar kamer binnenkomt en het kleine, sierlijke boeket op tafel ziet staan, maar ook de heerlijke geur opsnuift. Ze zullen het prachtig doen in een bruidsboeket, maar dat zal zeker niet het hare zijn. Voorlopig niet in ieder geval, en misschien wel nooit.

Te snel is het zaterdag, en weer is er de twijfel als ze op Bob wacht. Isabel ijsbeert nerveus door de kamer en staat ontelbare keren voor het keukenraam dat uitkijkt op de parkeerplaats bij haar flat. Natuurlijk belt hij net aan als ze even naar haar kamer is gelopen omdat ze heeft bedacht dat ze haar telefoon nog in haar tas moet stoppen.

Nog snel monstert ze zich voor de spiegel in de hal. Op de rode broek die ze samen met Britt heeft gekocht, draagt ze een dunne, witte blouse over een hemdje. Als ze tot de conclusie komt dat er niets aan mankeert, haast ze zich naar beneden. De lente laat in alles merken dat hij nu doorzet met helder avondlicht, frisse geuren en oplopende temperaturen. Haar korte jackje, dat ze voor de zekerheid toch heeft meegenomen, gooit ze op de achterbank van de oude Volvo, voordat ze via het door Bob geopende portier naast hem plaatsneemt.

Ineens weet ze niets meer te zeggen en Bob lijkt met dezelfde verlegenheid te kampen. Een ongemakkelijk zwijgen hangt tussen hen in, en ze bedenkt dat op die manier de avond weleens heel lang kan gaan duren.

Een kwartier later denkt ze daar al anders over als ze samen in een sfeervol tapasrestaurant zijn neergestreken en zich over de menukaart vol verrassingen buigen. Twee mannen met sombrero's spelen zonnige Mexicaanse muziek, zonder dat die overheerst. Na een halfuur merkt ze dat ze zich in deze ambiance volledig op haar gemak voelt, maar zeker ook in het gezelschap van Bob. Hij laat haar vertellen over haar werk, over Freek, die hem tijdens zijn uurtje therapie nog eens op het hart heeft gebonden dat hij nog niet jarig is als hij haar tekortdoet.

'Volgens Freek ben je de beste medewerkster die hij ooit heeft gehad: je bent joviaal, spontaan, plichtsgetrouw en zorgt ervoor dat patiënten zich op hun gemak voelen. Dat kon ik uiteraard alleen maar beamen.' Hij doet zich te goed aan een gemarineerde gamba, veegt daarna uitgebreid zijn mond af met een bontgekleurd servet. 'Vertel nu eens iets meer over je ouders en de plaats waar je vandaan komt?'

'Zoals je weet, kom ik uit de Noordoostpolder,' vertelt ze met tegenzin, vast van plan om haar verhaal zo oppervlakkig mogelijk te houden. 'Je weet wel: waar ooit de verraderlijke Zuiderzee lag, die nu is ingepolderd. Recht en strak, zeggen de meeste mensen, maar dat is maar ten dele waar. Natuurlijk is alles aangelegd, maar het is heel bijzonder hoe de natuur zelf ook haar gang is gegaan. Dat zie je bijvoorbeeld terug in de bossen, maar ook op het voormalige eiland Schokland. Ik denk dat ik dat het mooiste stukje van de polder vind. Vroeger kwam ik er vaak omdat ik vlak bij Nagele woonde.'

Haar herinneringen klinken warm, realiseert ze zich. Bob moet vooral denken dat ze een jeugd heeft gehad waar ze met vreugde en een beetje weemoed aan terugdenkt. 'Vertel jij nu eens wat meer over je jeugd in Rotterdam. Je ouders wonen daar toch nog?'

Opgelucht merkt ze dat haar afleidingsmanoeuvre weer is geslaagd. Hij lijkt het fijn te vinden om over zijn familie te praten.

'Mijn ouders zijn schatten,' meldt hij. 'Ze waren al wat ouder toen ik werd geboren, en de jongste van mijn twee zussen was al negen jaar, maar mijn moeder beweert nog altijd dat ze tot op de dag van vandaag heel blij is met haar toegift. Op die manier ben ik ook opgevoed.'

Zijn leven klinkt zo ongecompliceerd. Hoe zullen zijn ouders eruitzien? Waarschijnlijk heel keurig. Bob is liefdevol en beschermd opgevoed. Ze vindt het terug in zijn houding, in de manier waarop hij met haar omgaat, in zijn keurige, maar wat fantasieloze kleding. Ze kent hem niet anders dan in een spijkerbroek die in kleur varieert van blauw tot zwart en daarop een uiterst beschaafd shirt of vest, of zoals nu een overhemd met een zwart en grijs ruitje. Vandaag heeft hij extra werk van zijn uiterlijk gemaakt. In zo'n overhemd komt hij nooit naar de praktijk. Op de een of andere manier vindt ze hem ontroerend.

'Hoe kijk jij op je jeugd terug?' wil hij nu van haar weten.

Ze breekt zich het hoofd over de goede woorden. Hoe kan ze hem vertellen van haar angst en onzekerheid, en dat haar moeder meer dan eens schreeuwde dat ze wilde dat Isabel nooit geboren was? Dat alles wat in haar leven was misgegaan vooral aan Isabel lag? Hoe kan ze hem vertellen van haar afschuw als ze ontdekte dat haar moeder zichzelf weer in haar armen had gesneden? Hoe kan ze hem vertellen van de slapeloze nachten en avonden als haar moeder ineens weer een vriend had, die standaard te veel dronk, net zoals haar moeder zelf? Hij zou het niet begrijpen als ze hem zou vertellen dat haar moeder de volgende dag soms niet eens wist wat z'n achternaam was. Meestal was hij in zo'n geval bij het ontbijt al verdwenen.

Bob zou er niets van begrijpen. Hij zou haar moeder een liederlijke, vreselijke vrouw vinden, en dat zou ze niet kunnen verdragen. Na al die jaren voelt ze nog een zekere loyaliteit naar haar moeder toe. Zij mag haar moeder vreselijk vinden, maar anderen mogen niets van haar zeggen. Alsof ze nog altijd het meisje van tien jaar is dat op school werd gepest omdat ze zo'n gekke moeder had.

'Mijn ouders zijn gescheiden toen ik acht jaar was.' Ze kiest haar woorden zorgvuldig. 'Dat was een moeilijke tijd. We verhuisden van een buitenweg bij Nagele naar Emmeloord en dat betekende dat ik naar een andere school moest. Voor een kind van acht jaar is dat zwaar.'

'Het lijkt me vreselijk.' Hij steunt zijn kin in zijn hand en kijkt haar met zijn heldere, blauwe ogen meelevend aan. 'Is het contact met je vader wel gebleven?'

'Soms wat meer, soms wat minder.' Ze glimlacht een beetje ongemakkelijk onder zijn doordringende blik. 'Hij woont in Amsterdam. Maar jouw ouders wonen ook niet naast de deur. Vanaf hier is Rotterdam ook wel ruim een uur rijden, denk ik.'

Ze is zich ervan bewust dat ze hem doorlopend tracht af te leiden, en ze vraagt zich af of hij het in de gaten heeft. In ieder geval laat hij daar niets van merken.

Langzaam wordt ze rustiger. Ze laat zich meevoeren op de ontspanning van de avond, en als ze zich weer bewust van tijd wordt, is het al zo laat dat ze geen van beiden nog iets voor een film voelen. Isabel stelt een discotheek voor, en als ze daar tussen de enorme mensenmassa op de dansvloer meedeinen, zuigt haar blik zich vast aan die van Bob.

Ze blijven er niet lang. Isabel merkt hoe ongemakkelijk hij zich tussen de mensenmassa voelt. Eenmaal buiten bekent hij dat discobezoek echt niets voor hem is. Ze wandelen een poos door de nachtelijke straten van de stad, komen onderweg groepjes jongeren tegen, worden ingehaald door een paar meisjes op de fiets. Ze zwijgen, maar dit keer voelt het niet ongemakkelijk. Bob pakt haar hand. Ze probeert haar passen naar de zijne te regelen. Hij schiet in de lach om haar grote stappen. Isabel wil het zichzelf nog niet toegeven. Ze vindt nog steeds dat ze meer tijd nodig heeft, maar ze geniet van dit moment, van zijn hand in de hare, van de manier waarop hij af en toe naar haar kijkt. Stilletjes weet ze het wel: er is geen weg terug. Ze is hopeloos verliefd.

Aan de heldere hemel schijnt de maan, vol en rond.

Op de parkeerplaats bij haar huis kust hij haar. Hun monden zoeken nog vreemd onwennig. Isabel ademt zijn geur in, nieuw en toch vertrouwd. Haar handen strelen zijn jongensachtige stekeltjeskapsel, ze voelt hoe de zijne schuchter op haar rug liggen.

Zijn verlegenheid ontroert haar.

'Ik wil je gelukkig maken,' hoort ze hem zeggen, en dat is iets wat nooit eerder iemand tegen haar heeft gezegd. 'Als je lacht, ben je zo mooi. Ik wil je heel vaak zien lachen.'

Als ze even later over de galerij naar haar flat loopt, ziet ze zijn auto nog steeds op de parkeerplaats staan. Hij staat ernaast en zwaait totdat ze haar voordeur heeft gesloten. In de gang luistert ze naar het geluid van zijn auto die de parkeerplaats af rijdt.

Ze kan nu niet anders meer dan toegeven dat Bob veel meer is dan een vriend. Die gedachte maakt zowel gelukkig als angstig, want ze realiseert zich meteen hoe kwetsbaar ze daardoor wordt. Hoewel ze moe is, weet ze dat ze nog geen oog zal dichtdoen en daarom stelt ze het naar bed gaan nog even uit.

Op haar telefoon ontdekt ze dat haar vader heeft gebeld, maar Lauren heeft zich ook niet onbetuigd gelaten met vijf telefoontjes, twee sms'jes en drie voicemailberichten:

'Lauren hier, *how are you?*'

Het tweede bericht: 'Lieve Isa, bel je me even als je dit

bericht hoort? Niet dat ik iets nuttigs heb te melden, maar jij misschien wel?'

Het laatste: 'Eh... ik ben best een beetje bezorgd. Je laat altijd wel iets van je horen, maar nu ben je toch weer even van de aardbodem verdwenen. Bel me, *please*...'

Nadenkend bestudeert Isabel het kleine boeketje lathyrus dat een prominent plekje op haar salontafel heeft gevonden. Lauren zal op dit tijdstip zeker nog wakker zijn, maar ze kan haar ervaringen van deze avond nog niet met haar delen. Dat is een ongekende sensatie, en ze vraagt zich even af of Mike Mertens daar nog een rol in speelt. Vindt ze het vervelend om haar gevoelens met Lauren te delen omdat Mike een neef van haar is? Of speelt de angst voor haar eigen kwetsbaarheid een rol?

Net als ze een sms'je voor Lauren wil intypen, klinkt het deuntje van haar telefoon dat een nieuw bericht voor haar aangeeft.

Ik mis je nu al, leest ze in het schermpje.

Ik jou ook, beantwoordt ze zijn bericht.

Ze meent het echt.

Ik bel je morgen, stuurt ze erachteraan naar Lauren. Dan zet ze haar telefoon uit en gaat naar bed.

De morgen erop zit ze nog met haar volkorenboterham met aardbeienjam voor de televisie als Bob belt.

'Ik heb vannacht liggen denken,' hoort ze hem zeggen. 'Zou je het erg vinden om volgende week met me mee naar mijn ouders te gaan? Een weekend bij hen stond op mijn programma, maar ik zou het heel fijn vinden om dat samen met jou te doen.'

'Dat is toch veel te vroeg?' schrikt ze.

'Waarom zou het te vroeg zijn? Vannacht heb ik bedacht dat ik niets liever wil dan dat ze jou zo snel mogelijk leren kennen, en zij hebben daar vast geen bezwaar tegen. Ze zullen je direct in hun hart sluiten, dat weet ik zeker.'

'Ik weet niet...'

'Wat heb je te verliezen?'

Daar moet ze het antwoord schuldig op blijven. De afspraak staat.

Die avond gaat ze met Lauren uit, maar ze mist Bob.

Een week later rijden ze al vroeg naar Rotterdam. Isabel is nerveus en zwijgzaam. Waarom heeft ze niet volgehouden dat het nog veel te vroeg was om kennis te maken met zijn ouders? Lauren was van de week ook vol onbegrip geweest. 'Voor mijn gevoel gaat het allemaal veel te snel. Jullie hebben voor het eerst gezoend en nu moet je al kennismaken met zijn ouders. Trouwen jullie volgende maand of over twee weken al?'

'Lau, kom op. Bob is heel close met zijn familie, heb ik gemerkt. Hij vindt het gewoon fijn als ik kennismaak. Er is toch geen wet die dan zegt dat we daarna meteen in het huwelijksbootje moeten stappen?'

Daarna had ze het onderwerp Bob in gezelschap van Lauren zo veel mogelijk proberen te vermijden.

Het onderwerp Mike trouwens ook.

'Waar denk je aan?' Bob legt zijn hand op haar bovenbeen. 'Zie je zo tegen dit bezoek op?'

'Ik denk dat we te hard van stapel lopen. We hebben twee keer samen gegeten, we hebben net...'

'Ik voel dat jij voor mij de ware bent,' zegt hij gedecideerd. 'Echt, ik denk dat je er geen spijt van zult krijgen. Bovendien vonden mijn ouders het geweldig toen ik aankondigde dat we samen zouden komen.'

Daar wordt ze niet rustiger van, maar er is geen weg terug.

De ouders van Bob bewonen een fraai huis niet ver van het centrum van Rotterdam. Isabel bewondert de combinatie van ruime, lichte kamers met details die duidelijk blijk geven van het feit dat de woning aan het begin van de twintigste eeuw werd gebouwd: deuren met panelen, een marmeren schouw, de bijzondere ornamenten aan het plafond. Trots geeft de vader van Bob haar een rondleiding, daarna is er koffie met door Bobs moeder zelfgebakken appeltaart. De twee oudere zussen van Bob zijn al getrouwd, maar de oudste, Herma, komt met haar dochtertje Sanne toch even poolshoogte nemen. Ze is net zo hartelijk als haar ouders, en de tweejarige Sanne nestelt zich bij oom Bob op schoot, die dol op zijn kleine nichtje is. Het huis, de manier waarop de gezinsleden met elkaar omgaan: alles straalt warmte uit. Voor Isabel is het wel helder dat ze hier meer dan welkom is als de vriendin van Bob. Waarom verlangt ze dan toch naar het einde van de dag? Komt dat omdat alles hier zo heel anders is dan in haar eigen leven, waardoor de tegenstellingen tussen Bob en haar zo duidelijk zichtbaar worden?

Als Herma weer is vertrokken, eten ze met z'n vieren soep met broodjes. De ouders van Bob zijn geïnteresseerd in Isabels leven. Ze informeren naar haar werk, willen weten hoe zij het wonen in Arnhem ervaart en of ze de Noordoostpolder niet vreselijk mist. Isabel weet moeilijke vragen handig te omzeilen. Af en toe onderschept ze een onderzoekende blik van Bob, maar de hele dag verloopt in harmonie.

Waarom heeft ze toch steeds het gevoel dat ze hier niet hoort? Komt het doordat ze Bob zelf nauwelijks kent?

Of heeft het te maken met de vergelijking die ze doorlopend met haar eigen ouders maakt? Wat zullen deze mensen zeggen als ze zouden weten dat haar vader in een woonark in Amsterdam leeft? En dan wil ze nog niet eens aan haar moeder denken. Hun achtergronden kunnen niet verder uit elkaar liggen.

Hier wordt het haar steeds meer duidelijk dat haar relatie met Bob geen schijn van kans heeft.

Ze moet er zo snel mogelijk een einde aan maken, voordat haar gevoelens voor hem nog dieper gaan. Maar ze geniet van de aandacht die hij voor haar heeft, van de liefdevolle blik in zijn ogen, van zijn warme, innige woorden.

Als ze 's avonds bij haar thuis afscheid nemen, schuilt ze in zijn armen, en ze beantwoordt zijn kussen met een gretigheid die hem verwondert.

Ze wil hem niet kwijt.

Nu nog niet...

8

Het is nog te vroeg. Bianca ziet het op de rode wijzers van haar wekker die halfzes aanwijzen, maar ze kan niet anders dan opstaan. Niemand begrijpt dat en ze durft ook niemand te vertellen waarom ze soms zo vroeg haar bed uit moet. Ze zullen haar voor gek verklaren. Als je stemmen in je hoofd hoort, is er iets helemaal mis.

Maar ze is niet gek.

Ze wil niet naar een psycholoog. En evenmin naar een psychiater, die haar zal volstoppen met medicijnen waardoor ze een zombie wordt. Daar weet ze alles van.

Ooit is ze erin getrapt, kort voordat ze met Dennis trouwde en hij haar betrapte toen ze zichzelf in haar armen sneed. Hij vond dat het zo niet langer kon en dat het in het belang van haarzelf was als ze hulp zocht. Ze grijnst schamper bij de herinnering. Zo wordt haar dat altijd gebracht: het is beter voor haarzelf.

Het was niet beter. De psychiater pompte haar vol met pillen en ze wist van voren niet meer dat ze van achteren leefde. Volgens Dennis overdreef ze, maar ze wist toch zeker zelf wel hoe vreselijk het was?

Na een paar weken had ze de afspraak met de psychiater afgezegd en de pillen door het toilet gespoeld. De eerste dagen voelde ze zich hondsberoerd. Ze had ernstig getwijfeld, maar later wist ze dat het goed was. Nooit meer zou ze zich zo laten volpompen met medicijnen.

Ze heeft het kleine lampje op het nachtkastje aangeknipt en zit nu op de rand van het bed. Het is inmiddels mei. Overdag lijken de dagen al zomers, maar 's morgens vindt ze het altijd nog kil in huis. Voor haar bed liggen knalroze badstof sokken met antislipzool, die ze gisteravond achteloos van zich af heeft gegooid en nu weer aantrekt. Over haar nachtpon schiet ze een rood vestje aan dat over haar stoel hangt. Ze gaapt ongegeneerd, rekt zich uit en loopt dan zachtjes naar beneden. In haar hoofd gonst het dat ze zich moet haasten, dat ze ervoor moet zorgen dat Britt uitgebreid kan ontbijten voordat ze straks voor een weekje naar zee vertrekt. Ze moet goed voor haar kind zorgen. Niet dat het wat oplevert, want ook bij Isabel heeft ze haar best gedaan. Die is voorgoed vertrokken.

Iets knijpt zich in haar samen. Als ze nu zorgt voor een gezellig ontbijt, als ze sinaasappels uitperst en broodjes warm maakt, wil Britt misschien niet weg. Een weekje naar zee, zeven eindeloze dagen, uren die voorbij zullen kruipen. Haar keel zit nu al dicht.

Natuurlijk, er komt een einde aan die week en Isabel heeft beloofd dat ze haar jongere zusje daarna gewoon weer terugbrengt. Maar hoeveel is zo'n belofte waard van een dochter die er zelf op een dag ook gewoon vandoor is gegaan?

Wie zegt haar dat Britt niet wegblijft?

'Mam, Britt en ik gaan samen naar zee en daarmee uit,' had Isabel gisteravond keihard door de telefoon gezegd. 'Herinner jij je nog hoe graag ik als kind naar zee wilde?'

Nee, dat weet ze niet meer. Isabel zei gisteravond natuurlijk meteen dat ze het zich niet wilde herinneren.

Wacht, ze zal een eitje koken. Daar is Britt ook dol op.

Zorgvuldig giet ze water in een pannetje en zet dat op het fornuis. Haar hoofd zit zo vol. Stemmen praten door elkaar. In ieder geval moet ze nu opschieten. De tafel moet op z'n allermooist gedekt worden.

Ze knipt in de kamer alle lampen aan.

Haar mooiste ontbijtlaken op tafel, de ontbijtbordjes die ze anders alleen voor speciale gelegenheden gebruikt, eieren in de pan. Er zijn geen sinaasappels meer. Dan maar geen sap. De broodjes moeten in de oven, maar die moet voorverwarmd worden. Waarom heeft ze het vuur onder de eieren niet aangestoken? Zo zullen ze nooit aan de kook raken.

Paniek… ze is te langzaam, veel te langzaam. Diep ademha-

96

len, eerst de gaspit onder de eierpan aansteken, de oven voorverwarmen. Water voor thee opzetten.

Britt moet thuisblijven. Ze moet ervoor zorgen dat ze niet weggaat. Beloften tellen in deze wereld niet. Niemand komt ze na. Haar vader ging ooit ook voor een paar weken weg. Ze hoefde zich geen zorgen te maken, zei hij. Haar moeder en hij moesten even op adem komen van alle ruzies. Ze moesten allebei rustig kunnen nadenken.

Hij kwam niet meer terug. Britt komt wel terug. Ze probeert rustig te ademen. Britt komt wel terug... In haar hoofd probeert ze die zin vast te houden. Britt komt wel terug.

Het is alsof die woorden haar steeds ontglippen. Veel luider klinkt die andere stem: 'Wie zegt dat ze niet wegblijft?'

Het water kookt. Ze giet het in de theepot, hoort het water in de steelpan nu ook koken. Alles komt tegelijk. De broodjes moeten in de oven. Waar heeft ze de broodjes neergelegd?

Wie zegt dat Britt terugkomt?

Britt mag niet weg. Het kan echt niet...

Ze duwt haar handen tegen haar hoofd, maar de stemmen buitelen over elkaar heen. Ze wordt er gek van...

Moedeloos laat ze zich op de keukenstoel neerzakken. Ze is een moeder van niks...

Het is lang geleden dat Bianca aan haar vader heeft gedacht. Ze was bijna tien jaar toen hij vertrok. Om precies te zijn: drie dagen voor haar verjaardag ging hij weg. Ze weet nog dat hij beloofde dat hij op die dag van zich zou laten horen. Hij zou bellen en een cadeautje sturen.

Het was kort nadat oom Jos was ontmaskerd. Ze had zich weleens afgevraagd of het vertrek van haar vader daar ook nog mee te maken had. Hij en oom Jos waren goed bevriend. Haar vader ging regelmatig een biertje bij de populaire buurman

drinken. Dat zorgde steevast voor ruzie met haar moeder.
Daar had ze haar moeder nooit naar durven vragen. In ieder geval vertrok haar vader met de belofte dat hij zou terugkomen, dat het maar voor tijdelijk was.
Toen had ze dat al niet geloofd. Ze wilde het geloven, maar ze weet nu nog hoe ze hem met een intense blik had nagekeken, alsof ze elk detail aan zijn verschijning in zich wilde opnemen, wetend dat het de laatste keer was dat ze hem zag.
Hij droeg een cognackleurig suède jack op een spijkerbroek en zijn blonde haar had van voren een soort opstaande kuif. Voordat hij in zijn auto stapte, keek hij haar nog een keer aan en grijnsde onhandig, waarbij hij zijn ene mondhoek hoger optrok dan de andere. Dat deed hij altijd als hij zich wat ongemakkelijk voelde. Hij wist toen al dat hij niet terug zou komen. Hij wist vast ook al dat hij op haar verjaardag niets van zich zou laten horen. Veel later kwam ze erachter dat hij een tijd lang in Frankrijk had rondgezworven, zich hier en daar verhurend als landarbeider, voordat hij verder naar Spanje was getrokken. Hij was daar een nieuw leven met een nieuw gezin begonnen, en blijkbaar had hij nooit behoefte gevoeld om nog eens te horen hoe het met zijn dochters ging.
Drie jaar later was haar moeder hertrouwd met Bertold Dingemans, een zachtaardige en lieve man, die Bianca en haar jongere zus Gerda behandelde alsof ze zijn eigen kinderen waren. Ze hadden zich zelfs zo bij hun nieuwe vader thuis gevoeld dat ze later zijn achternaam hadden aangenomen. Toch hadden al die positieve ontwikkelingen haar gevoel van verlatenheid nooit helemaal weg kunnen nemen. Daarvoor had het plotselinge vertrek van haar eigen vader te veel schade aangericht, en het feit dat het contact tussen Gerda en haar verbroken was, deed de zaak ook geen goed.
Dat heel veel later haar eigen echtgenoten Dennis en Roy bij haar waren weggegaan en haar alleen hadden gelaten, had het er niet beter op gemaakt.

Een psychiater kon daar niets aan veranderen. Wat mensen haar ook op de mouw probeerden te spelden: ze trapte er niet meer in.

Ze redt zichzelf best. Als Britt nu maar niet weggaat.

Tien minuten later staat ze in de deuropening van Britts kamer, die nog heerlijk ligt te slapen en niet van plan lijkt om op te staan. 'Nu al? Mam, het is nog hartstikke vroeg! Isabel komt pas om tien uur!' Britt kruipt dieper onder haar dekbed. Ze wil haar moeder negeren, maar weet al precies hoe het verder zal gaan. Zij trekt aan het kortste eind.

'We moeten rustig kunnen ontbijten,' dringt haar moeder aan. 'Alles staat beneden klaar. Ontbijten en praten, dat moeten we. Wat ruikt het hier trouwens benauwd. Zou je niet eens een raam openzetten?'

Haar moeder loopt naar het raam, opent met besliste gebaren gordijnen en een bovenraam. Ze haalt diep adem. 'Frisse lucht is goed voor een mens. Geen wonder dat je cijfers te wensen overlaten op school: je hersens krijgen geen zuurstof.'

Britt zwijgt wijselijk. Tijdens de ouderavond was haar moeder naar school geweest en ze was naderhand thuisgekomen met de mededeling dat ze juf Rieneke had gesproken. De manier waarop ze het zei, voorspelde niet veel goeds. 'Je kunt veel beter!'

Natuurlijk zei Britt niet dat ze beter zou kunnen als ze thuis niet steeds op haar hoede hoefde te zijn. Volgens haar moeder keek ze te veel televisie, en dus mocht ze vanaf dat moment alleen nog op zaterdagavond kijken. Protesteren hielp niet. Soms waagde ze het om stiekem de televisie op haar kamer aan te zetten, waarbij ze het geluid uitschakelde. Echt ontspanning bracht dat nooit, gespitst als ze was op elke beweging van haar moeder beneden: hoorde ze haar op de trap, kwam ze naar boven? Bovendien was het niet leuk om naar een tekenfilm te kijken waarin bewegende monden geen enkel geluid voortbrachten.

In plaats van televisie te kijken, stort ze zich tegenwoordig op lezen. Bij de bibliotheek komt ze bijna wekelijks en ze probeert het zo te regelen dat haar moeder het niet in de gaten heeft.

Haar warme dekbed wordt onherroepelijk teruggeslagen en ze is net te laat om het vast te pakken.

'Geen getreuzel meer. Eruit!' Haar moeder is onverbiddelijk. Terwijl Britt met een trui over haar pyjama naar beneden loopt, komt de geur van warme broodjes haar al tegemoet. Normaal vindt ze dat heerlijk, nu wordt ze er misselijk van. Misschien komt dat wel doordat ze inmiddels begrijpt wat er nu gaat volgen.

Veelbelovend licht hangt boven de IJssel bij Zwolle als Isabel over de brug rijdt in de richting van de Noordoostpolder. De zon kan elk moment doorbreken. Ze neuriet mee met de radio. Alle voortekenen wijzen op een mooie week met Britt. Stilletjes was ze vanmorgen nog bang voor een telefoontje van haar moeder of Britt geweest met de boodschap dat het feest om de een of andere reden niet kon doorgaan, maar het bleef stil, op twee liefdevolle telefoontjes van Bob na.

Haar moeder had kennelijk goed in haar oren geknoopt dat Isabel vast van plan was om te gaan, in welke bochten ze zich ook zou wringen. Gisteravond had Isabel dat telefonisch nog eens duidelijk onderstreept. Ze begrijpt nog steeds niet waarom uitstapjes altijd zo moeizaam moeten verlopen, zelfs als er geen sprake van is dat haar moeder thuisblijft. In ieder geval lukt het haar moeder altijd om de glans van leuke uitstapjes te halen. Maar dit keer gaat ze dat niet redden, heeft Isabel zich voorgenomen. Zowel Britt als zij had heel erg naar deze week uitgekeken en ze gaan er dubbel en dwars van genieten, daar kan niemand iets aan veranderen, ook hun moeder niet.

Because I'm happy, zingt een man op de radio en uit volle borst galmt ze het mee, want gelukkig is ze. In haar hele leven heeft ze niet zo veel liefde gevoeld als sinds het begin van haar relatie met Bob. Gelukkig, en tegelijkertijd bang, want Bob wil na die maanden meer van haar weten. Hij wil kennismaken met Britt en met haar moeder.

'Ik begrijp allang dat het bij jou thuis heel anders is dan bij mij,' beweerde hij onlangs. 'En denk je nou echt dat mij dat iets kan schelen? Ik ben wel wat gewend, hoor. Onder mijn vrienden zijn er ook een paar met gescheiden ouders, dat is beroerd genoeg, maar onze vriendschap blijft gewoon in stand. Tussen ons verandert er niets als ik je familie leer kennen.'

Was het maar zo eenvoudig als hij het zich voorstelt. Bob heeft vast geen vrienden met een gestoorde moeder die twee keer gescheiden is. Voor hem zal dat onbegrijpelijk zijn. En dan denkt ze nog helemaal niet aan haar vader op zijn woonark. De ouders van Bob zouden zich rot schrikken als ze wisten in wat voor bende hun oogappel terecht was gekomen.

Na zijn onverwachte logeerpartij heeft haar vader niet één keer opgebeld en haar telefoontjes beantwoordt hij niet. Er leek iets veranderd, maar dat was van korte duur. Nog steeds krijgt ze stank voor dank.

Even dreigen er wolken voor haar zonnige humeur te schuiven, maar ze weigert eraan toe te geven. Met een beetje geluk rijdt ze over een uurtje samen met Britt naar de zee.

Clap along if happiness is the truth…

Haar vingers trommelen op het stuur op het opgewekte ritme van de muziek.

De zon breekt nu werkelijk door.

In de polder blijkt de zon zich nog te verschuilen achter een grauw wolkendek. Voor Isabel maakt het niets uit. Neuriënd stapt ze uit de auto en loopt naar de voordeur, die al geopend wordt voordat ze heeft aangebeld. De ingang wordt versperd door haar moeder, haar armen gekruist voor haar borst als een onneembare vesting.

'Britt wil niet mee.'

Isabel is er niet op voorbereid. Misschien dat ze daarom ineens zo van haar stuk is. Van haar vastberaden houding van een paar minuten geleden is ineens niets over.

'Hoe bedoel je?'

'Britt heeft geen zin,' herhaalt haar moeder met nadruk. 'Vanmorgen aan het ontbijt zag ze zo pips, en na even doorvragen bleek dat ze er ontzettend tegen opziet om een week van huis te zijn.'

'Daar geloof ik geen woord van.' Isabel herstelt zich. 'Ik weet dat Britt zich erg verheugt op deze week. Jij zult wel weer op haar hebben ingepraat. Ik kan je melden dat ik niet vertrek, voordat Britt naast me in de auto zit. Vergeet niet dat ik een huisje heb gehuurd. Ik ben niet van plan in m'n eentje aan zee te gaan zitten. Laten we naar binnen gaan. Ik wil zelf met Britt praten.'

'Ze ligt in bed.' Haar moeder wijkt niet. 'Ik heb haar gezegd dat ze nog maar even moet blijven liggen. Je denkt toch niet dat ik lieg?'

'Ik ken je.' Het lukt Isabel om haar moeder opzij te duwen en de gang in te lopen. Met een paar stappen is ze boven, op de voet gevolgd door haar moeder.

Britt staat midden in haar kamer.

'Je ligt niet in bed,' constateert Isabel dom.

Britt schudt haar hoofd.

Het valt Isabel ineens op hoe klein haar zusje nog maar is. Haar blauwe ogen staan groot in haar witte gezicht. Ze draagt een vaalblauw hemdje op een rode katoenen broek en daaronder hoge witte gympen met bloemetjes.

Ze is een kind, een meisje van negen jaar...

'Britt, je voelde je niet lekker. Vertel Isabel dan dat je niet met haar mee wilt.' Haar moeder dringt zich naar voren, grijpt

Britts bovenarm vast. 'Je zei toch dat je niet wilde?'

Britt zwijgt, maar haar ogen zoeken die van Isabel. Die ogen zorgen ervoor dat Isabels zelfverzekerde gevoel van de avond ervoor terugkeert. Gedecideerd pakt ze de kleine koffer van de grond. 'We gaan samen weg.' Haar stem klinkt luid en duidelijk. 'Laat Britt nu los, mam. Je houdt ons niet tegen.'

Haar moeder lijkt verrast door haar plotselinge ommekeer. Britt weet zich makkelijk los te maken.

'Dit kun je me niet aandoen. Britt, je weet wat je me had beloofd. Dit wil je mama toch niet aandoen?' Haar moeder probeert het nog een keer, maar Isabel duwt Britt zachtjes in de richting van de trap.

'Jullie willen me dood hebben,' hoort ze achter zich. 'Dat is het enige waar jullie op uit zijn.'

Isabel voelt de smalle, onzekere schouder van Britt onder haar vrije hand. 'We gaan uit, maar we zijn nergens óp uit,' reageert ze zonder om te kijken. 'Volgende week zie je ons gewoon weer terug.'

'Dat is wat je krijgt van je kinderen: stank voor dank,' tiert haar moeder verder.

Koortsachtig overlegt Isabel bij zichzelf hoe ze het moet aanpakken. In ieder geval nu niet stilstaan. In het voorbijgaan weet ze nog een jasje van Britt van de kapstok te pakken. 'Loop door, Britt,' dringt ze aan. 'Ga maar vast naar de auto.'

Opnieuw die onzekerheid. Britt houdt even in.

'Ik maak het wel in orde met mama,' dringt Isabel aan. 'Ga nou maar, Topper.'

Dat laatste ontlokt Britt een glimlach. Alleen Isabel noemt haar zo, en bij die benaming voelt ze zich ook echt zo. Ze opent de voordeur en samen stappen ze naar buiten.

Achter hen klinkt ineens een vreselijk kabaal, gevolgd door hysterisch gehuil. Britt staat stil.

'Loop door, Britt. Ga in de auto zitten. Ik ga wel kijken. Hier heb je de sleutels. Ga nou...'

Britt kijkt niet meer om. Ze drukt op het knopje en hoort de sloten van de portieren openklikken.

Opgelucht ziet Isabel haar eindelijk in de auto stappen. Ze zet het koffertje neer, drukt de voordeur weer open en ontdekt hun moeder, die schreeuwend onder aan de trap ligt.

'M'n hoofd... m'n hoofd... Zag je niet dat ik viel? Er is vast iets met m'n hoofd. Je kunt me hier toch niet zo achterlaten?'

'Je hebt gelijk.' Isabel voelt zich ineens onwaarschijnlijk rustig worden. 'Ik zal een-een-twee bellen, dan krijg je alle hulp die je nodig hebt.'

'Waag het niet!' Haar moeder weet verbazingwekkend snel overeind te komen.

Isabel draait zich met een smalend lachje om en trekt de deur achter zich dicht. Als ze Britts bagage in de kofferbak heeft gelegd, hoort ze hun moeder nog schreeuwen.

'Jullie denken alleen maar aan jezelf! Ik begrijp niet waar ik zulke dochters aan te danken heb.'

Isabel stapt in de auto en ziet hoe Britt strak voor zich uit kijkt. Op de stoep van de overburen ontdekt ze een meisje van dezelfde leeftijd als Britt. Isabel wordt geraakt door de smalende trek op haar brutale gezicht. In het huis achter het meisje beweegt de vitrage. Zij is blijkbaar niet de enige die het gedrag van haar moeder weerzinwekkend vindt.

Vreemd genoeg overheerst niet de walging, maar een diep, donker verdriet wanneer ze de straat uit rijdt.

Naarmate ze meer in westelijke richting rijden, schijnt de zon uitbundiger, en in het kleine dorp aan zee flaneren de toeristen langs de boulevard, onafgebroken in het oog gehouden door de oude, imposante vuurtoren.

Het navigatiesysteem in haar auto stuurt Isabel in de richting van een smal pad dat uitkomt bij een klein bungalowpark dat vlak aan zee is gevestigd. Er spelen kinderen op een plein bij de ingang. Een paar meisjes rennen achter elkaar aan. Isabel ziet dat Britt hen met haar ogen volgt. Onderweg is ze stilletjes gebleven. Ook Isabel voelde weinig behoefte tot praten. Ze hoopt nu dat de aanblik van de zee hun allebei goed zal doen.

'Laten we ons eerst maar bij de receptie melden.' Ze heeft de auto op de ruime parkeerplaats neergezet. 'We zijn er eindelijk, Britt. Deze week vergeten we alles en iedereen. Samen gaan we er iets moois van maken, zodat we daar altijd aan kunnen terugdenken. We gaan wandelen, misschien zelfs even zwemmen, al zal het water nog koud zijn. We kunnen ook zandkastelen bouwen.'

'Ik ben geen drie meer...' Het klinkt mat.

'Nee, maar ik voel me af en toe drie, en die momenten zijn heerlijk.'

Heel even glijdt er een glimlach over Britts gezicht, om direct weer plaats te maken voor die zorgelijke, gespannen uitdrukking. Daar verandert niets aan, ook niet als ze uitstappen en direct de zee horen en ruiken als ze naar de receptie lopen.

Een halfuur later staan ze naast elkaar, terwijl golven in een oneindige cadans op het strand rollen. Britts lange, blonde haren, dit keer eens niet gevangen in een paardenstaart, wapperen in de stevige wind. Haar wangen zien rood, en als ze even naar Isabel opkijkt, wordt die geraakt door de glans van haar ogen die anders altijd ontbreekt.

'Mooi hè?' hoort ze haar zusje verzuchten. 'Ik wil wel zwemmen.'

'Het is nog te koud.'

'Ja, denk je? Maar pootjebaden kan wel. Ja toch?'

Ze is al bezig haar gympen uit te trekken, haar sokken volgen en worden ongeduldig in de schoenen gepropt. 'Hou jij ze even vast?'

Isabel volgt Britt met haar ogen als ze haar broekspijpen oprolt en eerst heel voorzichtig haar tenen in het water steekt.

Verschrikt doet Britt een stap achteruit als een golf over haar voeten spat, maar dan grijnst ze ineens breed en rent een stukje verderop weer de zee in, vlucht opnieuw voor de golven, en herhaalt dat steeds weer. Haar lach klatert over het water.

Een echte, onbezorgde kinderlach.

De dag erna dragen ze hun bikini. Britt slaakt gilletjes als het koude water steeds hoger kruipt en kille druppels op haar buik spatten. Isabel laat zich door de golven meenemen. De kou doet haar naar adem snakken, maar ze zwemt met ferme slagen door. Een eindje verderop draait ze zich op haar rug en kijkt naar Britt, van wie alleen het hoofd nog zichtbaar is. Ondanks de kou lacht ze. Ze staat op, laat zich opnieuw vallen, gaat kopje-onder en komt weer boven.

Isabel voelt hoe haar spieren verstijven. Ze zwemt nog een klein eindje van de kust af, voordat ze de terugweg aanvaardt. Britt klappertandt, maar nog steeds grijnst ze van oor tot oor, laat zich weer in het water vallen, springt boven de golven uit.

'Heerlijk hè, Isa?'

Isabel besluit om elke dag even te gaan zwemmen, want hier ziet ze eindelijk het onbezorgde kind in Britt.

Tot nu toe heeft ze het idee dat haar zusje onbereikbaar is. Ze is meegegaan om wat boodschappen in de plaatselijke supermarkt te doen, samen hebben ze langs de boulevard gewandeld, de eerste avond hebben ze genoten van een drankje op een terras met uitzicht op zee. Ze genoot wel, maar het was net of er iets tussen hen stond, en Isabel had zich gerealiseerd hoe ze uit elkaar waren gegroeid in de jaren nadat ze het huis had verlaten.

Hoeveel weet ze nog van haar zusje?

Hoelang is het geleden dat ze werkelijk iets hadden gedeeld?

Isabel staat met een groot badlaken klaar als Britt rillend uit het water komt. Ze slaat het om haar zusje heen en wrijft haar droog. Britt leunt vertrouwelijk tegen haar aan. Haar bikini is eigenlijk te klein. Zou haar moeder nu werkelijk dat soort dingen niet zien? Nadenkend droogt Isabel zichzelf af. Britt staat heel stil, haar blik op de zee gevestigd, weggedoken in het badlaken, nog steeds huiverend. Ze lijkt alweer heel ver weg.

's Avonds zitten ze op het kleine terras voor hun huisje te eten. Isabel heeft aardappels met vissticks gebakken, terwijl Britt tomaten en komkommer door de sla sneed. Ze hebben over school gepraat, maar Isabel is er nog steeds niet achter of Britt daar nu echt graag heen gaat. Op het verhaal van haarzelf dat ze vroeger werd gepest omdat klasgenoten haar moeder raar vonden, reageerde Britt nauwelijks.

'Vind je het hier wel leuk?' probeert Isabel nu voorzichtig.

'Natuurlijk! Hartstikke leuk.'

Britt snijdt een klein stukje van een visstick af en steekt dat nadenkend in haar mond. 'Superleuk,' herhaalt ze, alsof ze weet dat ze Isabel niet heeft kunnen overtuigen.

'Maak je je zorgen om mama?'

'Nee hoor.' De smalle, puntige schouders schokken omhoog. 'Nee, echt niet. Mama doet heel vaak zo. Of ze schrijft gekke briefjes en zegt dat ze dood wil.'

'Dat is toch vreselijk?'

'Och, ik weet niet.'

Isabel zou verder willen vragen, maar iets in de houding van Britt houdt haar tegen. 'Als je ergens mee zit, zul je het me dan zeggen?'

'Ja hoor.'

'Ik zat er vroeger zelf...'

Haar telefoon gaat en ze ziet meteen dat het Bob is. Zonder na te denken neemt ze op. Als ze zijn stem hoort, lacht ze gelukkig. 'Ja, ik mis jou ook.'

Ze kijkt naar Britt, die nu moedig in haar aardappels prikt en af en toe een stukje naar haar mond brengt. Waarom is haar zusje zo afstandelijk?

'Ja, we hebben het hier prima naar onze zin,' antwoordt ze als Bob informeert of ze het samen wel leuk hebben.

Britt kijkt even op. Een smalle glimlach glijdt over haar gezicht.

Isabel hoort het verlangen in Bobs stem. Hij had nog voorgesteld om ook een dagje te komen, maar dat had ze meteen van de hand gewezen. Deze week is van haar en Britt samen. Op dit moment krijgt ze de neiging om hem alsnog uit te nodigen. De dagen die voor haar liggen, lijken ineens eindeloos met een zusje dat zo weinig van zichzelf laat zien.

Het dringt tot haar door dat Bob dat vaak over haar zegt. 'Je durft jezelf niet te geven, je laat jezelf nooit helemaal aan me zien.'

Zou Bob hetzelfde machteloze gevoel hebben als zij deze dagen heeft?

Ze wil het gesprek afbreken, maar Bob wil nog iets zeggen.

'Over drie maanden zijn mijn ouders vijfendertig jaar getrouwd. Ze hebben tien jaar geleden hun vijfentwintigjarig huwelijk natuurlijk al uitgebreid gevierd, maar willen hier toch ook nog een klein feestje van maken. Volgens mijn moeder omdat het tegenwoordig helemaal niet meer vanzelfsprekend is dat je dat samen haalt. Zet je 25 augustus vast in je agenda?'

Ze wil niet, maar ze stemt toch toe.

Als hun gesprek beëindigd is, heeft Britt haar bord leeg.

'Waar hadden we het ook alweer over?' informeert Isabel.

Britt haalt voor de zoveelste keer die dag haar schouders op. 'Ik weet niet...'

Haar eten is koud geworden. Met tegenzin werkt Isabel nog een visstick naar binnen. De rest gooit ze weg.

Vanuit de keuken ziet ze het terras. Britt zit er roerloos, in zichzelf gekeerd, haar blik op de zee gericht.

Isabel verlangt naar huis.

In de loop van de week lijkt de muur tussen Britt en Isabel toch wat af te brokkelen. Ze rijden voor een dagje naar Alkmaar. Ze wandelen samen via het strand naar een dorpje in de buurt en later op de dag weer terug. Elke dag duiken ze even in het kille zeewater. Langzaam maar zeker went hun lichaam aan de kou. Ze houden het langer vol dan in het begin. Ze zijn allebei bruin geworden. De lach van Britt klinkt vaker. Soms vertelt ze iets van thuis, of over haar vader.

'Papa heeft bijna nooit meer tijd voor me,' zegt ze de laatste avond bedachtzaam. 'Eerst ging ik elke week. Mama probeerde dat tegen te houden, maar papa zorgde er gelukkig voor dat het gewoon door kon gaan. Nu belt hij zelf heel vaak om te zeggen dat ik niet kan komen omdat hij het te druk heeft.'

Haar woorden klinken schijnbaar opgewekt, maar de ondertoon schrijnt. 'Hij was op mijn verjaardag, en daarna ben ik nog maar één keer bij hem geweest. Mama denkt dat het mijn eigen schuld is en dat ik te veel aandacht wil als ik bij hem ben. Eerst was ze altijd boos omdat hij me wel op wilde halen en nu is ze boos op hem omdat hij dat juist niet doet.'

'Het is niet jouw schuld.' Isabel weet hoe ze al die jaren zelf heeft geworsteld met haar schuldgevoelens en het idee dat alle narigheid en mislukkingen in het leven van haar moeder aan haar te wijten waren.

'Kan ik niet bij jou wonen?'

'Bij mij? Hoe zie je dat voor je? Ik werk de hele dag. Je moet naar een andere school en mama zou het nooit toestaan. Je vader wil het vast ook niet.' Paniek welt in Isabel op als ze de grote ogen van Britt op zich gericht ziet. 'Je mag heel vaak bij me komen logeren, maar verder gaat het echt niet.'

Ze voelt zich laf.

'Ik dacht het wel, maar ik wil het gewoon...' Britt slaat haar ogen neer. 'Laat maar...'

'Zullen we afspreken dat je heel vaak bij me komt logeren?'

'Best.' Het klinkt niet overtuigd, en Isabel herinnert zich de beloften die ze eerder deed. Er was niets van gekomen, druk als ze was met haar leven in Arnhem. In de houding van Britt leest ze dat ze geen enkel vertrouwen in haar belofte heeft. Ze is het dit keer toch echt van plan.

Als ze aan het eind van de week naar huis rijden, is het weer omgeslagen. Uit een donker wolkendek miezert het onophoudelijk, alsof het weer zich bij hun stemming heeft aangepast.

Onderweg stelt Isabel nog voor om samen te lunchen in een wegrestaurant, maar Britt heeft geen trek. Stilletjes zit ze in de auto, haar handen frunniken onophoudelijk aan de ritssluiting die haar knalroze, kreukelige lange broek siert. Daarop draagt ze een zwart shirt met roze sterretjes, dat ze deze week van Isabel heeft gekregen.

Spanning hangt in de auto, maar ze weten er geen van beiden woorden aan te geven.

Buiten schiet het landschap voorbij. Genoten ze daar op de heenweg van, nu heeft het hun interesse niet. Alles lijkt anders met de loodgrijze luchten boven de steden, dorpen, akkers en weilanden.

'We doen het nog een keer,' belooft Isabel in een poging om Britt een beetje op te vrolijken. 'En je gaat met je vader deze zomer toch nog ook wel een paar weekjes weg?'

'Misschien wel.'

Britt staart naar buiten en weer treft het Isabel dat ze zo klein en kwetsbaar lijkt.

De vraag van Britt of ze bij Isabel zou mogen wonen, blijft haar bezighouden. Na een week afwezigheid zou een kind van negen het fijn moeten vinden om weer naar huis te gaan. Britt wil het liefst helemaal niet meer naar huis. Isabel herkent het, en misschien maakt het haar daarom zo bang en onrustig, maar ze kan niet anders dan Britt terugbrengen. Misschien moet ze Roy weer eens bellen om te vragen waarom hij Britt laat stikken. Hij is haar vader. Hij moet voor z'n kind opkomen. Ze is dol op haar zusje, maar het is echt onmogelijk dat ze bij haar komt wonen. Vannacht had ze nauwelijks geslapen. Steeds had ze gepiekerd over een oplossing, maar ze had er geen gevonden.

'Ik denk aan je,' zegt ze als ze de straat in rijden waar hun moeder woont. 'Vergeet dat niet, en als er iets is, bel me dan direct. Ik kan niet voor je zorgen, maar ik wil er wel voor je zijn als dat nodig is.'

Ze krijgt een matte glimlach als antwoord, en merkt dan op dat Britt ineens verstijft. Gealarmeerd volgt Isabel haar blik, en ziet buurman Patrick, die ze bij haar vorige bezoek had gegroet, nu bij haar moeder binnen voor het raam staan. Weer zwaait hij joviaal, maar dit keer groeten ze geen van beiden terug.

Isabel parkeert haar auto langs de stoeprand. 'Britt, wat is er? Ben je bang voor Patrick? Is hij vaak bij mama?'

Haar zusje lijkt nog kleiner geworden, maar ze schudt haar hoofd. 'Niets... Isa, er is echt niets... hij is er niet zo vaak...'

'Britt, kijk me aan!'

Maar Britt heeft het portier geopend en staat zonder jas buiten in de druilerige regen. Isabel wil nog iets zeggen, maar Britt keurt haar geen blik meer waardig en holt naar de voordeur. Daar wordt ze opgewacht door haar moeder, die Britt begroet alsof ze elkaar maanden niet hebben gezien.

'Je drinkt toch nog wel een kopje koffie met ons mee?' nodigt Bianca Isabel uit wanneer die met de spullen van Britt volgt. Zonder aarzelen slaat Isabel haar aanbod af en haar moeder dringt niet verder aan.

Nu is het Isabels beurt om Britt te knuffelen, en ze voegt haar zusje toe dat ze echt moet bellen als ze ergens mee zit.

'Het was een superweekje, hè Topper?'

Maar dit keer lijkt die benaming Britt niet werkelijk op te vrolijken.

Bij het wegrijden zwaait niemand Isabel na.

Het is lang geleden dat ze zich zo neerslachtig heeft gevoeld.

9

Bob was de hele week al onrustig, maar nu hij weet dat Isabel op de terugweg is, krijgt de ongedurigheid hem helemaal te pakken. Als hij de sleutel van Isabels appartement had, zou hij zorgen voor een mooi boeket op tafel als welkom thuis. Hij heeft geen sleutel. Volgens Isabel is het daar nog te vroeg voor. Terwijl hij in de bloemenwinkel staat, nadat hij heeft besloten om dat boeket dan maar mee te nemen zodra Isabel thuis is, bedenkt hij dat ze het voor heel veel dingen nog te vroeg vindt.

In de twee maanden die hun relatie nu duurt, heeft hij haar dat veel te vaak horen zeggen, en daarmee lijkt ze hem voortdurend op afstand te houden.

Afstand... dat is het juiste woord. Zo vaak hij kan, is hij bij haar, maar wat is hij de afgelopen maanden over haar te weten gekomen?

Hij loopt de winkel rond op zoek naar iets geschikts. Dit keer maar geen lathyrus. Zijn fysiotherapie is weliswaar beëindigd, dus Freek zal er geen grapjes meer over maken, maar de kans is groot dat Isabel zijn opmerking over lathyrus als bruidsbloem heeft onthouden. Is het tekenend voor hun relatie dat hij niet weet met welke bloemen hij Isabel echt een plezier kan doen?

In haar appartement heeft ze een aantal groene kamerplanten, maar een bloemetje ontdekt hij er nooit. Zou ze van rozen houden? Zijn moeder doet hij daar altijd een groot plezier mee, maar om de een of andere reden vindt hij Isabel daar geen vrouw voor. In de winkel staan chrysanten in verschillende kleuren in de emmers, maar hij hoort zijn moeder altijd zeggen dat die bij de herfst horen.

Het meisje achter de toonbank heeft hem in de gaten gehouden en komt nu naar hem toe. 'Kan ik u misschien helpen?'

Hij zou liever zelf even rustig willen rondkijken, maar natuurlijk zegt hij dat niet. 'Ik zoek iets voor een speciale vrouw,' legt hij een beetje onhandig uit.

'Dat moet dan ook een speciaal boeket zijn. Wilt u iets kleurrijks of denkt u dat een boeket in één kleur beter bij haar past?' Zelfs daarover twijfelt hij. 'Doe maar iets kleurrijks,' besluit hij en loopt een kwartier later met een veel te duur boeket van strelitzia en andere exotische bloemsoorten naar buiten. 'Strelitzia heet ook wel paradijsvogelbloem,' heeft het meisje van de bloemisterij uitgelegd, en dat vindt hij in ieder geval wel bij Isabel passen.

De kilometers tussen hen zijn verdwenen, maar de afstand lijkt vergroot. Bob zit op de bank, zijn fraaie boeket met paradijsvogelbloemen staat nog in een glas in de keuken. Isabel heeft hem er plichtmatig voor bedankt en beloofd dat ze ervoor zal zorgen dat ze een mooi plekje krijgen. Hij kijkt toe hoe ze haar koffer uitpakt en haar kleren op een hoop gooit, zodat ze die straks in de wasmachine kan stoppen. Haar houding straalt afweer uit, een ander woord kan hij er niet voor bedenken. Ze beantwoordt keurig zijn vragen over haar vakantie, ze heeft hem zelfs al foto's op haar fototoestel laten zien, maar ze is ondoordringbaar.

'Wat is er aan de hand?' waagt hij het na verloop van tijd te vragen. 'Is er iets gebeurd?'

'Wat zou er gebeurd moeten zijn? Op dit moment ben ik gewoon even druk met andere dingen. Ik kan je geruststellen: Britt en ik hebben het superleuk gehad. We hebben bijna dagelijks in zee gezwommen en elke keer een poosje langer. Zelfs gisteren nog, toen het weer al te wensen overliet. Misschien doen we dit volgend jaar wel weer.'

Haar lichte huid is gebruind en komt in het mintgroene shirtje mooi uit.

'Wat zit je nou naar me te kijken?'

'Je bent bruin geworden en ik geniet ervan omdat je er zo mooi uitziet.'

'Ach jij...'

'Lijk je op je moeder?'

'Hoezo?'

'Zomaar, ik vroeg het me ineens af.' Het valt hem op dat ze meteen op haar hoede is.

'Nee, ik schijn meer van m'n vader weg te hebben.'

'Heeft hij ook rood haar?'

'Nee, m'n vader niet en m'n moeder niet, maar een van mijn overgrootmoeders had dezelfde kleur.' Ze pakt de kleding op. Haar gebaren zijn snel en een beetje verontwaardigd, alsof hij net heeft beweerd dat haar moeder overspel heeft gepleegd. Peinzend kijkt hij haar na als ze met haar armen vol wasgoed naar de wasmachine in de keuken loopt.

Hij volgt haar, registreert haar ergernis als ze hem opmerkt.

'Ben je bang dat ik wegloop?'

'Gaan we volgende week naar je moeder?' Hij negeert haar spottende vraag.

'Waarom?'

'We zijn inmiddels al een paar keer bij mijn ouders geweest. Ik kan me voorstellen dat je moeder ook eindelijk weleens wil weten met wie haar dochter omgaat.'

'Zo is mijn moeder niet.'

'Goed, dan draaien we het om. Ik wil heel graag kennismaken met mijn aanstaande schoonmoeder.'

'Zover is het nog lang niet...'

'Hoe bedoel je dat?'

Haar gezicht is rood geworden. Ze kijkt hem niet aan, sorteert het wasgoed op kleur en sluit de trommel. 'Zoals ik het zeg. Het is nog te vroeg...'

Hij haalt diep adem. 'Hoelang wil je nog beweren dat het te vroeg is om kennis te maken met je ouders, om me een huissleutel te geven, om samen een vakantie te boeken? Wat wil je eigenlijk?'

'Begin je weer? Ik heb meer tijd nodig dan jij.' Ze staat heel stil en drukt een spijkerbroek tegen zich aan. 'Je moet accepteren dat we verschillend zijn, in ieder geval daarin. Vanaf het begin wilde jij alles in een sneltreinvaart en ik heb meteen gezegd dat ik het te snel vind gaan.'

'Maar als we samen naar jouw moeder gaan, wil dat toch niet zeggen dat we ook meteen moeten trouwen? Ik wil Britt leren kennen. Je vertelt me over je zusje en ik heb geen idee wie ze is en hoe ze is...' Hij houdt zijn adem in. 'Dat is toch niet heel veel gevraagd?'

De spijkerbroek gaat de wasmand in. Ze zet de wasmachine aan. 'Goed dan,' stemt ze toe. 'Ik zal m'n moeder bellen en vragen of dat goed is, maar verwacht er niet te veel van.'

Ze heft haar gezicht naar hem op, een beetje onzeker drukt ze haar lippen op de zijne.

Hij voelt haar warmte, zijn handen glijden over haar rug. Hij voelt haar ruggengraat, het kuiltje onderaan, maar de afstand is niet verdwenen.

De enige reden waarom Isabel heeft toegestemd in een bezoek van hen samen aan haar moeder is het feit dat ze dan Britt ook weer ziet en zichzelf op de hoogte kan stellen of het goed met haar gaat. Nog steeds voelt ze zich geschokt over Britts reactie op de aanwezigheid van Patrick in huis. Ze blijft het beeld voor zich zien van haar zusje in haar meisjesachtige shirt met roze sterretjes, zoals ze daar in de miezerige regen stond: bang en dapper tegelijk.

De manier waarop ze ontkende dat die man haar iets had aangedaan, beviel Isabel niet. Heel haar houding straalde het tegendeel uit.

Misschien was die buurman de reden dat Britt bij haar wilde wonen. Isabel had er de hele weg naar huis over gepiekerd, allerlei opties bedacht en weer verworpen om tot de conclusie te komen dat het onmogelijk was.

Maar Britts vraag blijft haar bezighouden. Soms overweegt ze om haar probleem met Bob te delen. Ze doet het niet, blijft

116

zwijgzaam piekeren en creëert daarmee onbewust de afstand tussen hen waarvoor ze zelf zo bang is.

Vanaf het moment dat Isabel heeft gebeld dat ze zaterdag met haar vriend op bezoek wil komen, is Bianca nog nerveuzer geweest dan ze normaal al is. Ze verbeeldt zich dat Isabel allerlei negatieve verhalen over haar heeft opgehangen tegenover Bob. 'Bob...' Bianca vindt het een lelijke naam. Ze is gevoelig voor namen. Die van Patrick vindt ze ook niet mooi. Vincent, Victor of Boudewijn bevallen haar beter, maar mannen met dergelijke namen zijn nooit in haar geïnteresseerd. Patrick wel. Tegenwoordig komt hij dagelijks binnenlopen en dat maakt haar onrustig.

Als hij in de buurt is, waakt ze als een kloek over Britt. Geen moment is hij met haar alleen. Niemand zal van haar kunnen zeggen dat ze het heeft laten gebeuren. Wat anderen bij 'oom Jos' vroeger niet opviel, is voor haar bij Patrick wel heel duidelijk.

Misschien heeft ze ook daar een speciale antenne voor. Dat treft Britt dan.

Maar deze dagen heeft ze iets anders aan haar hoofd, want ze wil een goede indruk maken. Het huis moet worden opgeruimd en wellicht kan ze nog een cake bakken. Zaterdag moet Bob het gevoel krijgen dat hij van harte welkom is. Ze zal hem laten zien dat ze een prima moeder is en dat het echt niet allemaal aan haar ligt dat het tussen Isabel en haar niet botert. Haar oudste dochter was als kind al moeilijk. Meer dan eens heeft ze gefantaseerd over het verloop van haar leven als ze destijds niet zwanger was geworden. Dan had het er nu een stuk rooskleuriger voor gestaan. Na haar geboorte had Isabel heel veel gehuild. Nachtenlang hield het hoge, kleine babystemmetje haar wakker. Bianca meende af en toe dat ze er gestoord van zou worden. Het grootste deel van de tijd stond ze er alleen voor, want Dennis was destijds net voor zichzelf begonnen en moest hard werken om het hoofd boven water te houden. Zelfs voor de avond nam hij opdrachten aan. Het gevolg was dat hij doodmoe z'n bed in rolde en 's nachts overal doorheen sliep.

Ze was er tijdens haar zwangerschap al bang voor geweest, al beweerde hij toen dat hij haar zou helpen zo veel hij kon. Toch had ook zij in die tijd haar dromen gehad. Ze wilde een goede moeder worden, verheugde zich op de baby, en tegelijkertijd vulde haar zwangerschap haar met een diepe angst, die latent aanwezig bleef: er was geen weg terug. Vanaf het moment dat ze wist dat ze werkelijk een kind verwachtte, werd haar dat duidelijk. Vanaf dat moment was ze verantwoordelijk voor een klein wezentje dat ze nog niet kende, maar dat na de bevalling een naam en een gezicht zou krijgen. Voor altijd zou het bij haar horen, ze zou nooit meer onbezorgd kunnen zijn, haar verantwoordelijkheid zou nooit eindigen.

Ze had echt haar best gedaan om een goede moeder te zijn, maar kinderen waren ondankbaar. Isabel had niet ingezien dat het vertrek van Dennis zwaar op haar schouders had gerust. Ze had geen man meer, geen inkomen, en wel een kind dat ze in leven moest zien te houden.

Daarna was ze in allerlei baantjes en relaties gevlucht. Wat moest ze anders? Maar ze had steeds de verkeerde baantjes getroffen met bazen die geen enkel begrip voor haar thuissituatie hadden. Met die relaties werd het ook al niets, tot ze Roy had getroffen. Ze meende echt dat hij de ware was en dat ze de rest van hun leven samen zouden zijn. Misschien hield ze te veel van hem. Haar liefde had hem verstikt. Dat had hij gezegd toen hij ervandoor ging. Opnieuw stond ze er alleen voor, nu met twee kinderen. Was het zo raar dat er soms moeilijke situaties ontstonden en dat ze zich eenzaam voelde? Was het haar schuld dat ze altijd foute mannen zonder verantwoordelijkheidsgevoel trof?

Isabel moest nog maar zien dat zij het er met haar Bob beter vanaf ging brengen.

'Bob...' Ze proeft zijn naam. Veel soeps kan hij nooit zijn. Maar aan haar zal het niet liggen. Ze begint vandaag maar eens met het bakken van een cake, nerveus en toch ook hoopvol en opgewekt.

Bianca zet net de cake in de oven als ze de achterdeur hoort. Zonder te kijken, weet ze al wie het is, al verwacht ze hem op dit tijdstip nog niet. Het is de resolute manier waarop hij zonder kloppen de deur opent, alsof het vanzelfsprekend is dat hij tegenwoordig gewoon naar binnen loopt.

'Heb je de koffie klaar?' Zijn stem galmt door het huis. 'Hé, wat ruikt het hier lekker!' Patrick stapt haar keuken binnen.

'Hoef je niet te werken?'

Het liefst zou ze hem de toegang ontzeggen, maar ze durft niet. Meteen heeft ze weer een afkeer van die man met zijn knalrode overhemd dat hij inmiddels drie dagen draagt. Zijn onfrisse transpiratielucht overheerst zelfs de geurige cake in de oven. Wanneer Britt straks uit school komt, zal ze direct ruiken dat hij is geweest.

'Ik heb me vanmorgen ziek gemeld,' zegt hij opgewekt en laat zich op een keukenstoel zakken. 'Vannacht speelde m'n maag weer op.'

'Je zou eens wat minder moeten drinken.'

'En dat zeg jij? Zorg jij nu maar dat ik een kopje koffie krijg.'

Hij jaagt haar angst aan, dat is het. In zijn woorden klinkt altijd iets van dreiging, een toon waar ze bang van wordt.

Ze schenkt water in het koffiezetapparaat. 'Zaterdag komt mijn oudste dochter met haar vriend,' probeert ze opgewekt te zeggen. 'Daarom bak ik een cake.'

'Nu al? Tegen die tijd is dat ding zo droog als wat.'

'Hij kan toch wel in de diepvries? Ja toch?'

Patrick lacht. 'Je moet eens nadenken voordat je ergens aan begint. Maar ik kom gewoon dagelijks een plakje cake bij je halen, en dan haal je voor zaterdag maar iets anders.' Hij trekt de portemonnee uit z'n achterzak, haalt er een briefje van vijf uit en legt dat op tafel. 'Hier, koop daar tegen die tijd maar iets lekkers van. Die cake is goed voor m'n maag. Ik zal tegen de bedrijfsarts zeggen dat ik er alles aan doe om zo snel mogelijk op te knappen. De liefde van een mooie vrouw, die speciaal voor mij een cake bakt: een beter recept is er niet voor de ziekte die ik heb. Is de koffie trouwens al eens klaar?'

'Ik wil nog een heleboel andere dingen doen vandaag,' zegt ze zenuwachtig terwijl ze bekers klaarzet. 'M'n huis moet zaterdag wel een beetje netjes zijn.'

'Natuurlijk, je moet indruk maken op zo'n nieuwe schoonzoon. Die boft maar met zo'n mooie vrouw. Je hebt mooie dochters, Bianca.'

'Dat hoef je niet zo vaak te zeggen.'

'Dat kan niet vaak genoeg gezegd worden. Je bent toch niet jaloers? Wat ben je toch een rare vrouw. Iedere moeder zou trots zijn als zoiets over haar dochters werd gezegd, maar jij bent alleen jaloers.'

'Ik ben helemaal niet...'

'Schiet nou maar op met die koffie.'

Ze zou hem het huis uit willen gooien.

Ze durft niet.

Op tafel ligt nog steeds het briefje van vijf, als een zichtbaar teken van haar angst.

Natuurlijk had Isabel gedacht dat haar moeder er alles aan zou doen om een goede indruk op Bob te maken, maar de tot in de puntjes verzorgde vrouw, die hem de zaterdag erop warm en hartelijk de hand drukt, overtreft haar stoutste verwachtingen.

'Wat leuk om eindelijk kennis met je te maken. Ik spreek Isabel veel te weinig, maar ik had al wel begrepen dat ze erg onder de indruk van je was.'

Ze neemt zelf het korte leren jack van Bob aan om het aan de kapstok te hangen. 'Het is ineens fris geworden, hè? Je kunt best weer een jasje aan. Gelukkig dat Isabel en Britt vorige week wel prachtig weer hadden.' Maar als Isabel haar de doos met tompoezen wil geven, weigert ze. 'Ben je mal? Denk je echt dat ik niets bij de koffie heb gekocht? Dan onderschat je me toch.'

'Als je maar weet dat ik die gebakjes niet weer mee terug neem, dan eet je ze een andere keer maar op.' Gedecideerd loopt Isabel door naar de keuken.

'Wat een prachtige bloemen!' hoort ze haar moeder nu wel heel enthousiast tegen Bob uitroepen. 'Isabel moet je hebben geholpen, want zij weet dat roze mijn lievelingskleur is. Schitterend, die combinatie van die roze rozen met het paarsblauw van die orchideeën. Dat zijn echt orchideeën, hè? Jullie hebben het veel te gek gemaakt. Zo'n boeket kost een kapitaal!'

In de huiskamer zit Britt aan de grote tafel te tekenen. Verlegen staat ze op om Bob een hand te geven. Haar haren zijn keurig ingevlochten, ze draagt een vrolijke hardblauwe broek en een kleurig shirt, dat ze een tijdje geleden samen met Isabel heeft gekocht.

Bobs jovialiteit overspoelt haar. Hij wil weten of ze graag tekent, bewondert het werk waarmee ze bezig is en geeft haar als compliment mee dat ze volgens hem echt talent heeft.

Er is koffie met appeltaart.

'Die was in de aanbieding bij de supermarkt,' zegt haar moeder bescheiden. 'Stel je voor, zo'n grote appeltaart waar wel twaalf punten uit kunnen kostte maar drie euro. De rest heb ik in de diepvries gedaan. Zo'n appeltaart kun je toch wel in de diepvries bewaren?'

Ze kijkt naar Bob, en als die zijn schouders ophaalt, glijdt haar blik naar Isabel. 'Ja toch?'

'Je merkt vanzelf als het niet lukt.'

'Ik had eerst zelf appeltaart willen bakken,' ratelt haar moeder door. 'Maar dan ben ik nog duurder uit. Britt en ik hebben gisteravond al een stukje geproefd en we waren het erover eens dat dit een prima taart was. Ja toch, Britt? Meisje van me, kom even gezellig bij ons zitten. Die tekening loopt niet weg. Ik heb voor jou appelsap ingeschonken.'

Ze slaat met haar hand zachtjes op de plek naast haar op de bank, en als Britt doet wat haar wordt opgedragen, legt ze een liefdevolle arm om haar heen. 'Wat heb ik mijn meisje vorige week gemist, maar ik ben toch blij dat jullie het samen naar je zin hebben gehad, en dat het weer zo goed was. Je moet er toch niet aan denken dat je dit weer zou hebben gehad! Maar het was leuk, hè Britt?'

Warm en hartelijk, maar met alles net een beetje over de top... Zou Bob dat ook zo voelen? Isabel vraagt het zich af als ze naar hem kijkt. Tevreden zit hij in de oude kuipstoel, die bekleed is met sleetse oranje gebloemde stof. Af en toe kruisen hun blikken elkaar, maar daarna wordt hij weer opgeslokt door de verhalen van haar moeder.

Het is gek, Isabel zag vreselijk tegen dit bezoek op. Ze wist zeker dat ze zich voor haar moeder zou moeten schamen. Dat valt mee. Ze laat zich op dit moment een beetje overdreven gelden als een liefdevolle en betrokken moeder, maar het had heel anders kunnen zijn. Afgelopen week had Isabel zelfs gedroomd dat haar moeder al aangeschoten aan de deur kwam. Die droom komt op geen enkele manier uit, en toch voelt ze zich niet prettig. Bob heeft het best naar zijn zin. Haar moeder pakt hem in.

Misschien dat ze zich daarom vooral verraden voelt.

Na een wandeling door de buurt, en een heerlijke maaltijd, waarvoor haar moeder zich duidelijk heeft uitgesloofd, wordt het tijd om de terugreis te aanvaarden.

'We komen gauw eens terug,' belooft Bob op aandringen van haar moeder, en aan zijn gezicht kan Isabel zien dat hij het meent. Vandaag heeft hij het kostelijk naar zijn zin gehad.

Dat is ook het eerste wat hij zegt als ze de straat uit rijden. 'Het was heel erg gezellig. Ik heb nog nooit eerder meegemaakt dat iemand zich zo voor me uitsloofde. Je hebt toch best een aardige moeder. Misschien liggen jullie elkaar niet zo goed en natuurlijk heeft je moeder best een turbulent verleden. Mijn ouders zijn na bijna vijfendertig jaar nog steeds gelukkig met elkaar. Jouw moeder zou het vast ook zo gewild hebben, maar ze is de verkeerde man tegen het lijf gelopen.'

'Mannen...' Isabel kan die opmerking nog net binnenhouden. Bob gaat er nog steeds van uit dat Britt en zij dezelfde vader hebben en dat laat ze nog graag even zo.

'Britt is ook een leuk meisje en ze kan echt goed tekenen. Misschien moet ze daar later iets mee gaan doen.'

Hij lijkt niet in de gaten te hebben dat zij een stuk minder enthousiast reageert.

Isabel herinnert zich dat van haar vroeger ook gezegd werd dat ze zo'n leuk en talentvol meisje was. Tijdens bezoekjes van haar grootouders zat zij opgeprikt gezellig te zijn. Meer bezoek kwam er niet: de ouders van haar vaders kant en die van haar moeder. In het begin kwam tante Gerda, de enige zus van haar moeder, ook nog met verjaardagen, maar na een ruzie met haar moeder was dat voorbij. Vriendinnen had haar moeder nooit gehad. Af en toe bloeide er een vriendschap op, maar Isabel wist vanaf het begin dat die niet lang zou standhouden. Na een tijd waarin ze overdreven veel samen optrokken, volgde er steevast onenigheid en dat betekende het einde.

Natuurlijk beweerde haar moeder dat het niet aan haar lag, maar Isabel wist beter.

'Misschien moeten we toch eens overwegen om wat regelmatiger naar je moeder te gaan,' hoort ze nu Bob zeggen. 'Ik kan me voorstellen dat ze het jammer vindt dat ze je zo weinig ziet, en voor Britt is dat ook leuk.'

'Ik vraag wel of Britt binnenkort bij me komt logeren.'

'Kan ook, maar het een sluit het ander niet uit.'

Het is duidelijk dat haar moeder hem voor zich heeft gewonnen, en dat irriteert Isabel mateloos.

'Vanavond wil ik weer eens lekker ouderwets stappen,' zegt ze ineens. Dat idee komt zomaar in haar op en haar opmerking wordt gevolgd door stilte, alsof ze een bom onder hun gesprek heeft gelegd.

'Stappen? Hoe bedoel je?' informeert hij tamelijk dom.

'Precies zoals ik het zeg. Zaterdagavond was altijd mijn stapavond. Dan ging ik met Lauren uit en we hadden veel plezier.'

'Ik dacht dat je het niet erg vond dat we die avonden tegenwoordig anders invullen omdat ik niet zo van stappen hou.'

'Maar het leven is af en toe zo saai,' zegt ze hartgrondig.

'Dus je vindt mij saai?'

'Dat zeg ik toch niet?'

'Nee, maar het komt er wel op neer.'

'Voor mijn part. Als jij het zo wilt zien.'

Ze ziet zijn gekwetstheid, maar die verzacht haar gevoelens niet.

'En je wilt weer met Lauren uit?'

'Het is lang geleden en ze is wel mijn beste vriendin.'

'Zoals je wilt...' Zijn handen klemmen zich vast rond het stuur. Ze realiseert zich dat ze kan zeggen wat er werkelijk aan de hand is, dat ze nu nog terug kan.

Ze blijft zwijgen.

Britt is opgehaald.

Onverwacht had Roy na het eten voor de deur gestaan met duizend-en-een excuses en de vraag of Bianca het erg zou vinden als Britt de rest van het weekend bij hem zou doorbrengen.

Ze had direct toegestemd en na hun vertrek voelde ze in eerste instantie opluchting. Britt is veilig bij haar vader, daar is Bianca van overtuigd. Maar nu de avond vordert en schemer bijna het daglicht overneemt, slaat dat gevoel om. Het huis voelt te stil en die stilte brengt donkere gedachten binnen. Leek het bezoek van Isabel en Bob eerst geslaagd, nu weet ze zeker dat ze het anders had moeten aanpakken. Bob is een erg aardige jongeman, dat is duidelijk, maar misschien heeft ze het er toch een beetje te dik bovenop gelegd. Die kans is groot. Ze is niet zo heel goed in het ontvangen van bezoek, ze wordt er zenuwachtig van en dan gaat ze altijd wat overtrokken reageren. Af en toe ving ze de ontstemde blik van Isabel op. Dat zegt weliswaar niet zo heel veel, want zo kijkt haar oudste dochter meestal in haar nabijheid, maar het benadrukte nu nog eens dat ze het verkeerd had aangepakt. Misschien had ze niet moeten vertellen dat die appeltaart zo goedkoop was. Het was net iets voor Isabel om dat gênant te vinden. Haar ogen vangen het prachtige boeket op de salontafel. Had ze haar dankbaarheid daarvoor wel genoeg laten blijken? Was het eten wel goed genoeg geweest? Uiteindelijk heeft ze het in ieder geval weer verprutst. Voorlopig ziet ze die twee vast niet meer terug.

Die gedachte wakkert haar gevoel van leegte aan, angstaanjagende leegte die ze niet meer wil voelen, gruwelijke waardeloosheid.

Haast automatisch loopt ze de trap op naar de badkamer. Er is maar één manier... één manier... Stemmen in haar hoofd, pijn in haar lijf...

Nerveus zoeken haar handen in het badkamerkastje naar de scheermesjes, die ze altijd zo keurig koopt om haar benen te ontharen. Ze laat zich op de kille vloer van de badkamer zakken en kerft doelbewust... de eerste rode streep... Het is lang geleden dat ze zich had 'gemarteld', zoals Roy dat altijd noemde. Patrick wilde onlangs weten hoe ze aan die littekens op haar armen kwam. Ze had hem wijsgemaakt dat ze in het verleden in prikkeldraad was gevallen. Het was duidelijk dat hij er niets van geloofde, maar gelukkig had hij niet verder gevraagd.

Nog eens snijdt ze, bloed welt op en brengt opluchting... Ze voelt zich beter, voor even, straks is het weer voorbij en moet

ze verder... snijden... snijden, tot ze zich beter voelt.
'Ik mag er niet zijn...' Gedachten die pijnigen. 'Ik ben lelijk... Die sneeën zijn lelijk...' Het bloeden houdt op... Nog een snee... Snijden om haar geestelijke pijn te doven. Snijden neemt haar zorgen mee... Snijden...
'Bianca!'
Zijn schreeuw haalt haar uit haar trance. Ze trekt de mouwen van haar shirt naar beneden, maar ze kan niet opstaan. Bloed trekt door de stof van haar shirt. Ze legt haar duizelige hoofd tegen haar knieën, verlangt naar onzichtbaarheid. Hij mag haar zo niet zien...
Niet hij...
Juist niet hij...
Waarom heeft ze de achterdeur niet op de knip gedaan?
'Ben je gek geworden?'
Groot en dreigend staat Patrick in de deuropening van de badkamer.
Ze voelt zich zo klein, zo dom, zo onbeduidend, en hartstikke gek.

Wat heeft ze dit gemist, realiseert Isabel zich die avond als ze zich samen met Lauren tussen de dansende menigte begeeft. Ze zijn vroeg. De discotheek organiseert juist vanavond een party die ook door tieners bezocht kan worden, maar daar maalt Isabel niet om. Belangrijk is dat ze alle spanning van de afgelopen dag op deze manier kan afreageren. Het is net alsof ze de afgelopen maanden niet echt heeft geleefd. Terwijl de lampen over hen heen flitsen, realiseert ze zich hoe saai haar leven is geworden sinds Bob.
Meteen schaamt ze zich voor die gedachten. Bob geeft haar warmte, geborgenheid, en meer liefde dan ze in haar hele leven heeft gekregen.
Maar dit heeft ze even nodig na het bezoek aan haar moeder. Ze moet haar frustraties kwijt. Harde bassen bonken door haar

hoofd en nemen haar gedachten mee. Met een leeg hoofd danst ze. Lauren lacht, blij als ze is dat ze eindelijk eens weer een vriendinnenavond hebben. Isabel probeert niet aan Bob te denken, die nu alleen op zijn kamer zit. Dat is zijn keuze. Hij kon mee als hij wilde.

'Als jij daar behoefte aan hebt, ga je maar lekker met je beste vriendin,' had hij vanmiddag gezegd. Woorden als azijn. Zijn keuze om het zo op te vatten. Dit is maar voor één avond. Morgen gaat ze weer gewoon mee in zijn saaie, rustige leventje, maar af en toe heeft ze dit even nodig. Dat moet hij begrijpen, anders wordt het uiteindelijk niets met hen samen.

Ze kijkt naar Lauren, die haar ogen heeft gesloten. Isabel volgt haar voorbeeld, ze laat zich meevoeren op de muziek. Als ze haar ogen weer opent, kijkt ze recht in de ogen van Mike Mertens. Lauren is nergens meer te bekennen.

Zijn mond vormt het woord 'verrassing!'

Met een ruk draait ze zich om en botst tegen een meisje op dat een hevig verontwaardigd 'Trut, kijk uit waar je loopt!' laat horen.

Het dringt nauwelijks tot haar door. Woedend baant ze zich een weg naar de uitgang. Dit was niet de bedoeling. Uitgaan met Lauren, dat was het plan. Lauren heeft haar weer verraden! Verontwaardiging en verdriet strijden om voorrang. Ze gaat naar huis. Dan maar vroeg naar bed in plaats van een avondje stappen.

Ze is al bijna bij de garderobe als iemand haar bij haar arm grijpt. 'Doe nu niet zo flauw, Isabel… Er is toch niets mis mee om samen een poosje te dansen?'

Grijze ogen kijken onderzoekend in de hare. Zijn spot is verdwenen. 'Natuurlijk was het ook een beetje flauw van mij om met Lauren te wisselen, maar ik kon het niet laten toen ik jullie zag. Het was een geintje… echt niet meer dan een geintje. Laten we samen even wat drinken en dan kun je altijd nog besluiten om naar huis te gaan. Gun me een momentje met de mooiste vrouw van deze avond.'

Ze krijgt een kleur.

Ze capituleert.

Waarom wilde ze nou ineens stappen? Dat is de vraag die Bob al bezighoudt vanaf het moment dat Isabel die aankondiging deed. Lamlendig zit hij op de bank in zijn eigen kamer en bekijkt zijn flesje bier alsof hij daarin het antwoord kan vinden. Haar opmerking kwam zomaar uit de lucht vallen. Hij had het over hun bezoek van die dag gehad. Was het dat? Zei hij misschien iets verkeerds zonder het in de gaten te hebben? Was hij te enthousiast? Isabel kon niet goed met haar moeder overweg. Kon ze het niet hebben dat hij positief over haar sprak? Maar hij had het echt naar z'n zin gehad. Natuurlijk was het heel anders dan bij zijn ouders thuis. Als hij er alleen maar naar keek hoe Bianca en zijn moeder eruitzagen: een hemelsbreed verschil. Hij kon zich zijn moeder niet in zo'n strakke knalgroene legging voorstellen, maar Bianca was ook een stuk jonger.

'Noem me maar Bianca,' had ze op een gegeven moment aangegeven toen Bob al hakkelend naar een goede aanspreektitel zocht. Isabel noemde zijn moeder gewoon mevrouw Langebekke, en die had echt niet voorgesteld om maar Frederieke te zeggen.

Op het televisiescherm vliegen de verschillende zenders voorbij. Hij kan nergens zijn aandacht bij houden.

Zou Isabel hem echt saai vinden? Gaat het uiteindelijk daarom? Misschien had hij met haar mee moeten gaan, al houdt hij niet van die overvolle dancings en discotheken, en dat is nog heel zwak uitgedrukt. Isabel lijkt in levensstijl soms heel ver van hem af te staan.

In gedachten ziet hij haar in zo'n gelegenheid: oogverblindend mooi. Waarom heeft hij haar toch alleen laten gaan? De mannen zullen op haar afkomen als vliegen op de stroop.

128

Hij zou nu ook nog wel kunnen gaan. Isabel had hem verteld dat ze naar de discotheek ging waar ze ook al eens samen waren geweest. In verband met een party voor tieners begon en eindigde de avond op tijd. 'Ach, met m'n twintig jaar ben ik nog maar net de tienertijd ontgroeid, dus dat vind ik helemaal niet erg,' had ze nog geprobeerd een grapje te maken. Hij kon er niet om lachen.

Hij zucht. Hoe zal ze het opvatten als hij toch komt opdagen? Het is goed mogelijk dat ze het leuk vindt, maar ze kan het ook heel anders uitleggen en denken dat hij haar wil controleren.

Besluiteloos zapt hij verder, drinkt zijn flesje leeg en baalt verschrikkelijk.

10

'Hoe vaak doe je dit?' Patrick zit tegenover Bianca, zijn gezicht staat nog steeds geschokt. 'Ik geloofde al geen woord van dat verhaal over je val in het prikkeldraad. Wat heeft het voor zin om jezelf zo toe te takelen?'

Ze wil dat hij weggaat. Zijn blik vertelt haar dat ze knettergek is, dat geen normaal mens zoiets uithaalt, maar hoe kan ze hem uitleggen wat de leegte met haar doet? Wat weet hij van haar dagelijkse gevecht?

'Bianca, je moet hulp zoeken.' Daar heb je het al.

'Hulp,' zegt ze geringschattend. Ze wringt haar kleine handen samen in haar schoot. 'Weer naar zo'n kerel die doet alsof ik knettergek ben, een gevaar voor de samenleving dat met pillen onder controle moet worden gehouden. Als je aan die troep verslaafd raakt, word je pas echt gek.'

'Maar wat wil je dan?'

Ze wil hem zeggen dat hij zijn mond moet houden, maar ze durft niet. Hij zal weer gaan dreigen dat hij zijn geld terug wil. Waarom gaat hij niet weg?

'Beloof me dan dat je het niet weer doet, want ik kan niet zeggen dat je er aantrekkelijker door wordt.' Hij brengt zijn gezicht vlak voor het hare. Ze ruikt zijn alcoholadem, ziet de kleine haartjes op zijn neus, de grove poriën in zijn gezicht, de stoppels op zijn wangen. 'En ik pomp niet voor niets zo veel kapitaal in je, daar mag ik toch wel een heel klein beetje voor terug verwachten?'

Zijn hand glijdt door haar haren. Ze voelt paniek opkomen, probeert die weg te slikken. Er loopt een rilling van afschuw over haar rug.

'Beloof je me dat, vrouwtjelief?'

Ze knikt. Alles wil ze beloven, als hij haar maar met rust laat.

'Dan zal ik je armen nu verbinden.'

Ze schudt haar hoofd. 'Dat hoeft niet... het zijn geen diepe sneeën. Laat me maar...'

'Ik verbind toch je armen om er zeker van te zijn dat je het me niet nog eens flikt. In dat geval maak ik er werk van. Desnoods nemen ze je maar gedwongen op. Je bent een gevaar voor jezelf, en voor dat mooie dochtertje van je. Waar is Britt trouwens?' Nu prijst ze zich gelukkig dat Roy haar heeft opgehaald. Patrick kan haar niets doen. Dat is het allerbelangrijkste, Patrick kan Britt niets doen. Op dit moment in ieder geval niet.

Bob twijfelt nog steeds. Hij heeft al tien keer geprobeerd om Isabel aan de telefoon te krijgen, hij heeft een aantal sms'jes verstuurd, maar ze reageert nergens op en haar voicemail meldt onverstoorbaar dat hij maar een bericht moet inspreken. Langzaam begint het tot hem door te dringen dat hij de grootste sukkel van de wereld is als hij op de bank de voors en tegens blijft afwegen.

'Liefde is geven en nemen,' zeiden zijn ouders altijd als ze het over hun huwelijk hadden. 'Af en toe moet je iets doen wat je zelf niet zo bevalt, maar wat die ander wel heel leuk vindt.'

Hij weet toch hoe Isabel is? Had hij nu echt verwacht dat ze elk weekend gezellig bij hem op de bank wilde zitten? Het zit hem steeds meer dwars dat ze hem saai noemde.

Was hij dat werkelijk?

Onwillekeurig schudt hij zijn hoofd. Zo heeft hij zichzelf nog nooit beschouwd, maar hij houdt er niet van om zich in zo'n immense zaal tussen allemaal mensen op te houden en die muziek door z'n hoofd te voelen dreunen. Bij Isabel krijgt hij het idee dat ze in vrolijkheid en uitgaan vlucht. Vanaf zijn eerste afspraak voor fysiotherapie intrigeerde ze hem. Haar rode krullen, de manier waarop ze haar ene mondhoek iets hoger optrekt dan de andere als ze een beetje onzeker lacht, haar groene ogen die hem zo ernstig kunnen aankijken.

Als ze uitgaat, lijkt ze iemand anders, dat had hij gemerkt tijdens hun ene gezamenlijke discotheekbezoek. Hij voelde zich er ongemakkelijk, zij was er als een vis in het water. De afgelopen maanden waren prima geweest, maar hij is zich er scherp van bewust dat ze die andere kant ook heeft. Hij voelt bovendien nog steeds dat ze een deel van zichzelf achterhoudt, en het lukt hem maar niet om haar zo veel vertrouwen te geven dat ze alles met hem durft te delen.

En nu staat ze waarschijnlijk ergens op een dansvloer. Wat zou ze aanhebben? Hopelijk niet dat korte, zwarte jurkje. Het staat haar geweldig, maar niet iedereen hoeft dat te zien.

Het zweet breekt hem uit. Ze zal toch niet van plan zijn om een einde aan hun relatie te maken?

Nee toch?

Op de klok ziet hij dat het nog geen elf uur is. Hij kan nu naar bed gaan, maar hij zal geen oog dichtdoen.

Als hij hier blijft zitten, wordt het ook niets. Dus moet hij zichzelf overwinnen en maar zien hoe Isabel reageert als ze hem ziet.

Zuchtend staat hij op. Hij plenst in de badkamer wat water in z'n gezicht zodat hij er weer wat fleuriger uitziet, en trekt een schoon shirt aan. In zijn leren jasje zit hij even later op de fiets. Hij baalt nog steeds verschrikkelijk.

'En die kerel van je laat je dus zomaar alleen gaan?' Mike kijkt Isabel ongelovig aan. Een vrouwenstem galmt door de discotheek, bassen dreunen. Ze gebaart dat ze hem niet verstaat, waardoor hij zich genoodzaakt voelt om nog dichter naar haar toe te schuiven met zijn hoofd bijna bij haar oor. Haar krullen kriebelen langs zijn wang. Ze draagt een licht parfum. Hij snuift de geur onopvallend op, legt zijn hand nonchalant op haar schouder en herhaalt zijn vraag.

'Bob houdt niet zo van uitgaan.' Haar mond kriebelt langs zijn oor.

'Dat meen je niet! Zitten jullie dan elk weekend samen op de bank?'

Ze houdt niet van zijn spot. Vandaag had Bobs houding haar vreselijk geïrriteerd, maar Mike heeft niet het recht om zo laatdunkend over hem te doen. Isabel haalt haar schouders op. De muziek klinkt veel te hard om een gesprek te voeren. 'Laat maar,' zegt ze en ze nipt nadenkend van haar cocktail. Het is goed dat hij weer wat afstand neemt en ze is opgelucht als Lauren weer verschijnt, moe en warm van het dansen. Na haar volgt een hele groep, met wie ze altijd optrekken als ze samen uitgaan. Dit voelt beter. Ze merkt dat ze er weer als vanouds van geniet. Kwinkslagen vliegen over en weer, al moet daarvoor behoorlijk geschreeuwd worden.

Isabel geniet, maar ergens in haar achterhoofd zitten onrustige gedachten aan Bob. Waarom heeft ze hem laten zitten? Waarom was ze zo verontwaardigd toen hij liet weten dat hij geen zin had om mee te gaan? Was het nodig om hem voor saai uit te maken? Kwam haar inval om uit te gaan niet gewoon voort uit haar eigen irritatie omdat hij haar moeder zo ophemelde? Was dat de reden waarom ze het nodig vond om hem te kwetsen?

Met een brede lach en haar humor weet ze die gedachten het zwijgen op te leggen.

Het verbaast Bob dat hij Isabel zo snel vindt. Tussen een hele groep jonge mensen van wie hij weet dat ze die haar vrienden noemt, heeft ze het hoogste woord. Haar wangen zijn rood, haar lach is aanstekelijk.

Ze doet niets verkeerds.

Hij vindt haar niet in de armen van een andere man, ze is niet aangeschoten, maar toch voelt hij verontwaardiging omdat ze het zonder hem duidelijk naar haar zin heeft. Van zijn plannen om haar aan te spreken en de rest van de avond samen door te brengen, is niets meer over. Het is alsof deze vrouw niet bij hem hoort. Mijlenver is ze van hem verwijderd, al kan hij in tien stappen bij haar zijn.

Zonder zijn aanwezigheid kenbaar te maken, gaat hij terug naar de garderobe om zijn jas op te halen, die hij even daarvoor heeft afgegeven. De portier laat niet merken dat hij verbaasd is.

Thuisgekomen gaat Bob naar bed, maar natuurlijk kan hij niet slapen. Steeds ziet hij dat beeld van Isabel voor zich, vrolijk en uitgelaten, tussen haar vrienden. Mensen die bij een andere wereld horen dan de zijne, en Isabel voelt zich daar duidelijk helemaal thuis. Hij heeft haar nog nooit zo vrolijk gezien. Waarom verbeeldt hij zich dat ze op die manier iets verbergt? Kan het niet zo zijn dat ze juist daar helemaal op haar plek is? Hoe heeft hij kunnen denken dat het tussen hen blijvend zou kunnen zijn?

Hij vindt het heerlijk om bij haar te zijn, maar die ellendige reserves van haar... Alles wil hij van haar weten. Soms vertelt hij iets uit zijn jeugd, maar als hij dan hoopt dat zij daardoor ook iets over de hare vertelt, klapt ze meteen dicht.

Het enige wat hij weet, is dat ze niet met haar moeder overweg kan, en daar was het vandaag verkeerd gegaan. Bianca was aardig en hartelijk. Ze had duidelijk haar best gedaan om hun bezoek zo aangenaam mogelijk te laten verlopen. Hij had het naar z'n zin gehad. Had zijn enthousiasme haar gestoord?

Voor de zoveelste keer draait hij zich op z'n andere zij. Via het geopende raam van zijn kamer hoort hij vrolijke stemmen van passerende fietsers, misschien ook op weg naar een uitgaansgelegenheid.

Hoe is het mogelijk dat hij vanaf hun eerste ontmoeting het idee had dat ze bij elkaar passen?

Als hij zich het beeld van vanavond weer voor de geest haalt, lijkt het daar helemaal niet op. Dat ze het zwarte jurkje, dat hij haar zo mooi vindt staan, niet droeg, is op dit moment maar een schrale troost.

Tot Bianca's opluchting was Patrick na een uurtje weer vertrokken. Tegen haar wil had hij haar armen ingezwachteld. Vervolgens was hij nog rustig een biertje blijven drinken en had haar onderwijl getracht te overreden om hulp te zoeken. Ze was blij toen hij wegging, maar nu ze in haar stille huiskamer zit, wint de angst het al gauw weer van haar opluchting.

Wat moet ze als hij haar na vanavond laat stikken? Het is even na elven en voor haar ligt nog een hele nacht. Hoe komt ze die door? Haar huis ademt eenzaamheid en leegte. Misschien moet ze Roy bellen en hem vragen om Britt terug te brengen. Waarom heeft ze hem toestemming gegeven om haar mee te nemen? Wat denkt die man wel? Eerst weken achter elkaar afbellen en haar dan ineens overvallen?

Haar armen voelen zwaar van het verband dat Patrick er veel te strak om heeft gebonden. Ze plukt ongeduldig aan de hechtpleisters waarmee hij het heeft vastgezet, maar er is geen beweging in te krijgen. Met boze vingers toetst ze het nummer van Roy in. Haar woede neemt nog toe als ze zijn voicemail hoort en ze schreeuwt dat hij haar zo snel mogelijk terug moet bellen, dat Britt nu bij haar hoort te zijn. Daarna opent ze een fles wijn. Ze schenkt een glas vol, ploft op de bank en drinkt het glas met grote slokken leeg.

De hele wereld is tegen haar. Ze doet altijd haar best, en het wordt nooit gewaardeerd. Voor haar dochters heeft ze kromgelegen, alles wil ze voor hen doen, maar ze krijgt stank voor dank. Britt zit bij haar vader en leek ook nog oprecht verheugd toen hij haar na al die weken weer eens ophaalde. Isabel keek vandaag niet bepaald vrolijk tijdens haar bezoek samen met dat rare vriendje van haar. Bob… die naam past echt bij hem: botte, oenige blindedarm, of belachelijk, onbekwaam bezinksel, of brakende, ouderwetse badmuts… Zo kan ze er nog wel een paar verzinnen en ze passen allemaal precies bij dat kruiperige, bleke mannetje. Ha, bleek, onderkruiperig biggetje…

En met zoiets komt haar dochter thuis.

Isabel is alleen met zichzelf bezig. Geen moment komt het in haar op om eens te vragen of haar moeder het wel redt, en of het wel goed met haar gaat. Ikke, ikke, ikke, meer mensen bestaan er niet voor Isabel. Ze is zo ver mogelijk weggetrokken, en als ze dan een keer zo goed is om op bezoek te komen, zit ze erbij alsof ze het liefst direct rechtsomkeert zou maken.

Waar leeft ze nog voor?

Opgefokt peutert ze aan de pleisters aan haar rechterarm. Ze weet er één los te krijgen, maar de ander weigert en links zitten er ook nog een paar. Hier zit ze dan, met armen vol verband omdat Patrick dat leuk vond, en zelf is hij ervandoor. Ze hoort hier op zaterdagavond niet alleen te zitten. Die twee domme dochters van haar zouden haar gezelschap horen te houden.

Ze heeft haar telefoon alweer in haar handen en toetst het nummer van Isabel in. Als ze het niet dacht: ook hier een voice-mail.

'Ik wou even zeggen dat ik ontzettend gebaald heb, vandaag,' schettert Bianca's stem. 'Wie denk je wel dat je bent met die bedachtzame, oliedomme buffel van je? En wanneer ga je eindelijk weer eens naar de kapper? Ik vroeg me af of je weleens in de spiegel kijkt, al denk ik dat je dat vaker doet dan je moeder opzoeken. Weet je wat ik door jou in mijn leven allemaal heb moeten verduren? Je wilt het niet weten, ik ken je goed genoeg. Je zult je voicemail waarschijnlijk niet eens beluisteren als je mijn nummer herkent. Je geeft namelijk niets om me, ik kan er net zo goed niet zijn... Goed, misschien moet ik dat maar doen. Dan ben je van me af en kun je je vrolijke leventje in Arnhem lekker voortzetten zonder je om je moeder te bekommeren. Het maakt voor jou niet uit of ik er wel of niet ben. Ik denk zelfs dat je blij zult zijn als ik er een einde aan maak. Dat doe ik dan ook nog voor je. Het ga je goed, en voel je niet schuldig over alles wat je mij hebt aangedaan. Moeders houden zo veel van hun kinderen dat ze alles vergeven...'

Ze is buiten adem, drukt de telefoon uit en blijft even stilzitten, terwijl gedachten door haar hoofd razen als auto's op een snelweg. Alles is grauw, angstaanjagend: haar huis, de nacht die voor haar ligt, de komende minuut zelfs, gedachten aan Patrick. Er moet een einde aan komen. Die gedachte overheerst ineens alle andere. Ze heeft vaak genoeg gedreigd, maar nu moet ze de daad bij het woord voegen. Ze heeft Isabel voorbereid. Het is onmogelijk om verder te leven.

Opnieuw trekt ze aan de pleisters. Ze haalt er een schaar bij, verwondt zich nog een keer met de punt, maar voelt het nauwelijks in haar koortsachtige haast om zich van het verband te ontdoen.

Geen angst meer...
Geen bedreigingen van Patrick...
Niemand die haar nog kan opsluiten...
De hemel...

Haar oma draaide vroeger langspeelplaten met koorzang. Als ze bij haar oma logeerde, luisterde ze naar de woorden: *Lichtstad met uw paarlen poorten... Stil maar, wacht maar, alles wordt nieuw... Het nieuw Jeruzalem...*

Lang vervlogen tijden, nu ineens heel dichtbij.

Ze zag beelden... straten van licht... ze voelde zich zorgeloos en blij, en oma zei dat alles daar goed en mooi was. *Daar is geen zon en geen maan, daar zal God ons verlichten. Daar zul len alle gezichten vol van zijn heerlijkheid staan...* Ze herinnert zich dat ze als kind daar zo naar kon verlangen dat het bijna pijn deed.

Verlangen...

Het verband ligt achteloos op de bank als ze de deur van haar huis achter zich dichttrekt.

Op weg naar de hemel.

Zorgeloos en blij...

Lichtstad met uw paarlen poorten... Het lied blijft zich in Bianca's hoofd herhalen terwijl ze door de donkere straten loopt. Het gezicht van haar oma verschijnt. Bianca herkent de rimpels bij haar ogen, de moedervlek op haar linkerwang... Haar stem klinkt nog even helder als destijds.

Ze glimlacht. In de verte lonkt de Poldertoren, blauw verlicht baken in het hart van Emmeloord. Bekende straten, bekende huizen, maar nu ineens vreemd. Helder en nuchter heeft Bianca alle mogelijkheden overwogen, want zo voelt ze zich: helder en nuchter, alles onder controle en wat je belooft moet je doen.

Oma verdwijnt weer. Wat blijft zijn de lage flats, de huizen aan de overkant van het water, het donkere, stille water zelf. Hoe diep is dat?

Diep genoeg?

Beter is het om door te lopen naar die andere vaart, maar ze is moe en ze had de brug bij de kerk voor ogen. Het is stil op straat, of verbeeldt ze zich dat? Is het dit wat ze wil? Ze is op zoek naar de lichtstad, maar de klanken zijn uit haar hoofd verdwenen, het licht is gedoofd en van haar oma geen spoor meer. Het lukt haar ineens niet meer om dat lieve gezicht voor zich te zien.

Haar gang wordt trager, de brug nadert toch te snel. Wat nu?

Er rijden auto's voorbij, jongelui op de fiets, druk met elkaar, lachend en nog een heel leven voor zich. Stil en donker ligt het water onder haar. Haar handen rusten op het koude, groene staal van de brugleuning. Ze zet haar voet op de onderste leuning, blijft nadenkend staan, maar zet dan ook haar andere voet erop, draait zich zo dat ze op het bovenste deel kan zitten. Kilte trekt door haar broek. Ze huivert en durft zich ineens niet meer te verroeren.

Is het de stem van haar oma die nu zegt dat ze niet langer moet dralen?

Ze haalt diep adem, slaat haar ene been over de brugleuning, slaat even later haar andere been er ook over en staat aan de andere kant. Onder haar rimpelt het water.

Gewoon springen nu... Het moet maar gaan zoals het gaat... Ze sluit haar ogen.

'Mijn voeten doen zeer.' Isabel trekt haar laarsjes met hoge hakken uit en ploft op de bank in Laurens huiskamer neer. 'Je kunt merken dat ik een dagje ouder word. Het is nog geen twaalf uur, en toch ben ik al hartstikke moe.' Ze schuift een aantal tijdschriften aan de kant zodat ze haar benen onder zich op de bank kan trekken, en vervolgt: 'Ik ben blij dat ik hier kan slapen. Vannacht heb ik geen zin om alleen te zijn. Het was een superavond, maar dat gedoe met Bob zit me dwars. Misschien ben ik daarom wel zo moe.'

'Hm...' Lauren heeft de haarspeld uit haar haren getrokken en is druk bezig haar losgeraakte kapsel te fatsoeneren.

Isabel haalt haar telefoon uit haar tas en overziet met één blik haar scherm. 'Volgens mij heeft Bob niets anders gedaan dan de hele avond bellen en sms'jes sturen. Ach, die arme jongen.' Ze giechelt een beetje nerveus. 'Nou ja, ik vind het nu te laat om nog te bellen. Morgen is hij de eerste.' Ze scrolt een eindje naar beneden, ontdekt het telefoonnummer van haar moeder. 'Pff, en of dat nog niet genoeg is: m'n moeder heeft gebeld.'

'Daar was je toch vandaag met Bob geweest?' Lauren hangt onderuitgezakt in haar stoel. De haarspeld zit weer waar hij hoort. Een paar nonchalante haarslierten vallen langs haar wangen.

'Misschien was ze nog iets vergeten te vertellen.' Isabel heeft alweer spijt dat ze over haar moeder is begonnen. Ze ziet dat er op de voicemail een bericht van haar moeder is. Had ze nou haar telefoon maar lekker in de tas laten zitten.

'Die zal het ook niet op prijs stellen als je nu belt. Maar het was een gave avond, hè? Volgens mij vind jij Mike best leuk.'

'Hij is aardig,' geeft Isabel met tegenzin toe. 'En hij kan supergoed dansen.'

'Als Bob er niet was...' Lauren knipoogt. 'Ik weet zeker dat we dan familie zouden worden.'

'Maar Bob is er wel.'

Het bericht van haar moeder houdt Isabel bezig, of ze wil of niet. Het zal wel weer onzin zijn, maar er kan ook echt iets aan de hand zijn. Stel je voor dat het om Britt gaat?

'Ik moet even naar de wc.' Ze staat op, weet haar mobieltje onopvallend mee te smokkelen en luistert even later in de kleine ruimte naar de opgewonden woorden van haar moeder. 'Bedachtzame, oliedomme buffel...' Waar slaat dat nou weer op? Haar moeder had waarschijnlijk op dat moment alweer de nodige drank achter de kiezen. O, wacht eens: Bedachtzame, Oliedomme Buffel. Bob...

Zo is haar moeder. De hele dag de gezellige aanstaande schoonmoeder uithangen, Bob helemaal inpakken en hem vervolgens voor van alles en nog wat uitmaken.

'Ik denk zelfs dat je blij zult zijn als ik er een einde aan maak.'

Het is weer zover.

Hoeveel afscheidsbrieven heeft haar moeder al geschreven?

Ergens lijkt suïcide altijd in haar hoofd te zitten, en op de momenten dat het haar uitkomt, speelt ze het uit. Isabel trapt er niet in. Hoe vaak is ze al niet in paniek naar huis gekomen? Hoe vaak is ze niet in angst naar boven gelopen omdat ze bang was dat haar moeder niet meer leefde?

Dit keer trapt ze er niet in.

Britt zou haar gebeld hebben als er sprake was van serieuze dreiging. Ze hoopt in ieder geval niet dat Britt haar moeder onverwacht vindt zoals zij dat ook deed toen ze ongeveer even oud was als Britt nu.

Beelden op haar netvlies. Angst kruipt naar haar keel.

Ze laat zich niet gek maken.

Daarna heeft haar moeder nog vele malen gedreigd om een einde aan haar leven te maken, en ze heeft het evenzovele malen niet gedaan.

'Hé, gaat het wel goed met je?' Lauren staat voor de deur.

'Weet je wel hoelang je hier al zit?'

'Ik kom eraan,' zegt Isabel, en ze trekt voor de vorm door.

'En ik ga toch maar naar huis.'

'Kom op, Isa, je wilde niet alleen thuis zijn. Is dat vanwege al die berichtjes van Bob? Laat die jongen maar lekker even in angst zitten. Dat heeft hij gewoon verdiend. Morgen ga je naar hem toe en dan praten jullie het uit.'

Isabel krijgt de neiging om toe te geven en net te doen alsof ze dat bericht op haar voicemail niet heeft gehoord, maar de gedachte aan Britt maakt haar onrustig. Het kan best zijn dat haar zusje haar nodig heeft. Ze kan thuis een berichtje sturen om te informeren of alles goed is. Als er iets aan de hand is, zal Britt ook op dit belachelijke tijdstip vast nog wakker zijn.

'Het is beter dat ik nu ga.'

Teleurstelling omgeeft Lauren. 'Soms weet ik niet meer wat ik aan je heb.'

'Ik weet het zelf ook niet,' zou Isabel willen zeggen, maar die woorden houdt ze natuurlijk voor zich.

Even later zit ze op haar fiets en rijdt door de donkere nacht naar huis.

Britt reageert niet.

Nadenkend staart Isabel voor zich uit. Het is dus goed mogelijk dat er niets aan de hand is en dat Britt gewoon lekker ligt te slapen. Misschien moet ze ook maar gewoon naar bed gaan. Haar moeder heeft het in ieder geval weer voor elkaar gekregen om haar avond te verpesten.

Wanneer houdt dit op?

Ze twijfelt even, maar toetst dan het telefoonnummer van haar moeder in. Wat kan het schelen als ze haar wakker maakt? Dan had ze maar niet zo'n belachelijk bericht moeten achterlaten. Ze verwacht niet eens dat er opgenomen zal worden.

Een onbekende mannenstem klinkt in haar oor en even is ze

bang dat ze een fout heeft gemaakt en nu een wildvreemde de stuipen op het lijf heeft gejaagd.

'Met wie spreek ik?'

'Sorry... sorry, ik ben bang dat ik...'

'Nee, dit is niet mijn toestel,' hoort ze de vreemde man zeggen.

Isabel legt haar vrije hand tegen haar hals. Het zal toch niet waar zijn?

'Is het... kan het zijn... wat heeft mijn moeder...?'

'Gaat het om uw moeder? Ik kan u geruststellen. Ze zit bij ons. We hebben haar van de brug geplukt toen we de hond gingen uitlaten. Ze was wat overstuur, maar na een glaasje water en een goed gesprek gaat het weer. Uw moeder heeft aangegeven dat ze het straks thuis wel redt. Maar we brengen haar uiteraard naar huis. Wilt u haar zelf nog spreken?'

'Ik wil weten waar mijn zusje is...'

'Zusje?' Er wordt kennelijk een hand over het spreekgedeelte van de telefoon gelegd. Woorden klinken gedempt, maar zelfs nu herkent Isabel de stem van haar moeder op de achtergrond.

Even later is de man luid en duidelijk weer terug. 'Uw zusje is bij haar vader. U hoeft zich geen zorgen te maken. Wilt u uw moeder nu nog even...?'

Isabel bedankt vriendelijk maar beslist.

11

'Dus je hebt het gisteravond wel naar je zin gehad?' Bob leunt tegen het aanrecht, terwijl Isabel voor koffie zorgt. Met zijn ogen volgt hij haar handelingen. Vanmorgen had hij haar overvallen. Ze was net uit bed, droeg een grauw huispak en haar gezicht zag vreemd bleek en kaal zonder make-up. Met tegenzin had ze de deur voor hem geopend omdat hij haar verzekerde dat hij gewoon zou blijven bellen. Op zijn eigen kamer had hij het vanmorgen niet meer uitgehouden. Na een bijna doorwaakte nacht móést hij gewoon met haar praten.

'Ja hoor, het was prettig om er weer eens te zijn. Ik had het gewoon even nodig.'

'Heb je me gemist?'

Het is even stil, alsof ze over haar antwoord moet nadenken. 'Nee,' reageert ze dan bedachtzaam. 'Ik heb je niet gemist.'

Ze heeft koffie ingeschonken en loopt met de mokken voor Bob uit naar de kamer.

'Je bent dit keer in ieder geval eerlijk.'

Ze vraagt zich af waar hij naartoe wil.

'Ik ben gisteravond ook nog naar die discotheek geweest,' legt hij uit. 'En ik zag dat je plezier maakte met die zogenaamde vrienden van je.'

'Ja, het was gezellig met mijn vrienden.' Ze zet de mokken op tafel en kijkt Bob uitdagend aan. 'Waarom heb je je niet even gemeld toen je me zag? Ik had niets voor je te verbergen. En waarom ben je daar naartoe gegaan? Wilde je me controleren?' Ze gaat zitten en kijkt naar hem op. Vandaag draagt hij zijn keurige ruitjesoverhemd. Stilletjes noemt ze dat inmiddels zijn zondagse overhemd. Bob is voorspelbaar.

'Ga toch ook zitten,' zegt ze geïrriteerd als hij blijft staan, maar hij schudt zijn hoofd.

'Laat me maar even. Ik moet nadenken en staande kan ik dat altijd beter. En ik was er niet om je te controleren, maar omdat

ik het zo stom van mezelf vond dat ik je alleen had laten gaan.'
'Maar waarom heb je dan niet gezegd dat je er was?'
'Zou je dat prettig hebben gevonden?'
Waarom doet hij toch altijd zo moeilijk? 'Natuurlijk had ik dat fijn gevonden, dat denk ik in ieder geval wel...'
Hij schudt zijn hoofd. 'Op het moment dat ik je ontdekte, zag ik ook dat je het daar echt naar je zin had. Het drong tot me door dat ik je nooit op die manier zie lachen als wij samen zijn.'
'Wat een onzin! Natuurlijk wel.'
'Wees nu alsjeblieft ook eerlijk, Isabel. Als wij samen zijn, hebben we het heel gezellig en leuk, maar een deel van jou doet er niet aan mee. Voor mijn gevoel blijft er altijd een stukje dat ik niet ken, en dat je bewust voor me achterhoudt.'
'Hoe kom je daar nou toch bij? Heb je vandaag zin om psychologisch te doen of zo?'
Met spot probeert ze haar onrust het zwijgen op te leggen en ze ziet hoe ze hem daarmee kwetst, maar vanmorgen interesseert haar dat niet. Ze voelt zich door hem overvallen, en dat ze daardoor haar gezicht niet eens van wat make-up heeft kunnen voorzien, maakt haar onzeker. Alsof ze hem nog niet genoeg gekrenkt heeft, voegt ze er nog aan toe: 'En als het je niet bevalt dat ik samen met mijn vrienden af en toe plezier maak, heb je pech. Misschien passen we niet zo goed bij elkaar en moeten we er gewoon mee stoppen.'
Hij knijpt zijn ogen tot spleetjes. 'Bedoel je dat je het wilt uitmaken?'
'Noem het zoals je wilt.' Ze pakt haar mok van de tafel en neemt een slokje van haar hete koffie. 'Ik vrees dat we deze discussies veel vaker zullen voeren als we samen blijven, en daar heb ik geen zin in.'
'Zo eenvoudig zie je dat dus: ik heb er geen zin in en we stoppen er maar mee. De fijne gesprekken die we samen hebben gevoerd, doen er niet meer toe, de momenten waarop we

zo van elkaar genoten, zijn ineens niet langer belangrijk. Jij vindt dat je af en toe met die zogenaamde vrienden naar een disco moet omdat je dat nodig hebt en je wilt niet begrijpen dat ik daar moeite mee heb.'

Isabel wil het niet kapotmaken tussen hen. Ze kan het zich niet voorstellen dat ze elkaar niet meer zullen zien, dat hun eindeloze gesprekken verleden tijd zijn, dat alles tussen hen ten einde is voordat het in feite echt is begonnen.

'Ik weet het niet.' In een hulpeloos gebaar trekt ze haar schouders op. 'Ik wil gewoon niet elke keer weer zo'n ruzie over een leuke avond. Als jij je er niet bij kunt neerleggen dat ik iets anders in elkaar steek dan jij, houdt het toch gewoon op?'

'Gewoon, noem je dat?' Ongelovig kijkt hij haar aan.

Bob blijft altijd netjes. Ze weet wel dat hij nu woedend is, maar hij schreeuwt niet, schopt nergens tegenaan. Zij zou dat wel doen, maar Bob blijft onder alle omstandigheden beschaafd. Hij heeft gelijk: een groot deel van haar kent hij niet. Dat deel heeft de uitbarstingen van razernij van haar moeder meegemaakt nadat Dennis haar had verlaten, en dat werd herhaald toen Roy ook niet langer met haar kon huizen. Zo gaat dat met mannen. Ze kunnen vertrekken als het hun niet zint. Voor een kind gaat dat niet op. Een kind heeft het maar met zijn ouders te doen, hoe ze ook zijn. Soms hebben ze geluk dat jeugdzorg om de hoek komt kijken en in het ergste geval – of misschien is dat wel het best denkbare scenario – worden ze in een pleeggezin geplaatst.

In haar jeugd had niemand bij de verantwoordelijke instanties aan de bel getrokken om te melden dat het niet goed ging bij haar thuis. Haar moeder leidde iedereen om de tuin, en het gekke is dat zij meespeelde. Als kind bleef ze onuitputtelijk loyaal. Ze had het waarschijnlijk vreselijk gevonden als ze uit huis was geplaatst.

Ze kijkt naar Bob, ziet zijn ontreddering en krijgt even zin om al haar woede en frustratie van zich af te schreeuwen, net zoals haar moeder dat in ongemakkelijke situaties deed. Zij beheerst zich natuurlijk, want die kunst beheerst zij net zo goed als Bob.

'Het spijt me heel erg,' zegt ze nauwelijks hoorbaar.

'Wat zeg je?'

Ze herhaalt haar woorden en als ze naar zijn gezicht kijkt, is ze even bang dat die uitbarsting er alsnog zal gaan komen.

Maar hij schudt zijn hoofd. 'Mij ook,' zegt hij. 'Mij spijt het ook dat het zo moet gaan. Het is niet anders, het ga je goed.'

Die laatste woorden blijven hangen. Ze hoort ze steeds weer, ook als hij al lang verdwenen is en ze hem heeft nagekeken via het keukenraam. Op de parkeerplaats kan hij zijn woede niet langer de baas. Hij schopt tegen de wielen van zijn auto en gaat er even later met gierende banden vandoor.

Het is net alsof het op dat moment pas goed tot haar doordringt wat ze heeft aangericht.

'Het ga je goed.' Woorden die je uitspreekt als je iemand nooit meer zult zien.

Het is voorbij, voor altijd voorbij.

De rest van de morgen blijft ze op de bank zitten en ze staat alleen af en toe op om iets te drinken te halen. Bob is voorbij... ze blijft die woorden in zichzelf herhalen en schrikt van de wanhoop die ze in haar teweegbrengen.

Tussen de middag eet ze een boterham met chocoladepasta. Als er een berichtje op haar telefoon binnenkomt, veert ze op, maar het is van Lauren die informeert of ze het al met Bob heeft bijgelegd.

Ze antwoordt niet.

Langzaam gaat de morgen over in de middag. Isabel verlangt alleen maar naar het tijdstip waarop ze weer naar bed kan gaan. Af en toe dommelt ze weg. Ze bakt tegen de avond een paar eieren en eet die op. Zo wordt het negen uur, en ze bedenkt dat ze nu best kan gaan slapen.

Als ze op haar slaapkamer is, hoort ze opnieuw het riedeltje van haar telefoon dat meldt dat er een nieuw bericht voor haar is. Ogenblikkelijk vlamt haar hoop weer op.

Lieve schoonheid, als je vriend je volgende week weer laat zitten, wil ik best zijn plaats innemen.

Mike Mertens, mooie Mike, neef van Lauren...

Ook hij krijgt geen reactie.

In de dagen die volgen, ontdekt Isabel steeds meer hoe diep haar gevoelens voor Bob zitten. Ze mist zijn telefoontjes, zijn warme belangstelling voor de dingen die ze doet, hun gezamenlijke gesprekken. Af en toe wordt ze gek van heimwee.

Op haar werk is ze afwezig. Ze zet een afspraak op een verkeerde dag, maakt fouten in een verslag. 's Avonds heeft ze geen zin om te koken en daarom eet ze meestal een paar boterhammen. Na de afwas wil ze het liefst naar bed, maar ze weet dat nog even te rekken door Lauren te bellen, die ze verzekert dat het goed met haar gaat, ook al is het nu uit tussen Bob en haar.

'We passen niet bij elkaar,' is haar verklaring. 'Bob is veel te rustig voor me.'

'Dus we gaan er vrijdagavond weer lekker samen op uit?'

'Graag,' zegt Isabel en ze meent het, want uitgaan is de laatste jaren van haar leven steeds de beste remedie geweest tegen nare gevoelens. Zodra ze zich tussen vrienden bevindt, zet ze haar vrolijke masker op en overschreeuwt ze haar verdriet, haar angst en onzekerheid.

Doodmoe ligt ze 's avonds in bed, maar de eerste uren lukt het haar niet om in slaap te vallen, geplaagd als ze wordt door gedachten die zich in het donker door niets laten weerhouden.

Onophoudelijk cirkelen ze rond Bob. In de duisternis klinken zijn stem en zijn lach, ze ziet zijn ogen op zich gericht, voelt zijn warme adem en zijn oprechte aandacht.

Geërgerd had ze hem verweten dat hij een 'graver' was en

dat hij steeds meer van haar wilde weten. Langzaam wordt het haar duidelijk dat ze niet zozeer geïrriteerd werd door zijn gegraaf, maar dat het haar vooral beangstigde.

Als ze zover is, krijgt ze de neiging om uit bed te stappen. Af en toe doet ze dat ook. Ze zit dan met een glas water in de woonkamer en vraagt zich af of Bob op dit moment slaapt, of dat hij ook klaarwakker aan haar denkt.

Heeft hij het nu ook moeilijk?

Begrijpt hij misschien beter dan zijzelf waar het verkeerd is gegaan?

Moe wordt ze van het denken. Uiteindelijk gaat ze weer naar bed en slaapt dan toch nog snel in. De volgende dag verloopt ongeveer volgens hetzelfde patroon, maar juist in deze dagen is het alsof ze zichzelf voor het eerst werkelijk ziet zoals ze is. Vanaf het moment dat ze naar Arnhem is vertrokken, heeft ze geprobeerd haar verleden achter zich te laten. Ze meende dat ze dat het best kon doen door er met niemand over te praten en hier opnieuw te beginnen. Al die tijd dacht ze dat ze zich voor haar moeder schaamde. Nu ziet ze in dat het niet zozeer de schaamte voor haar moeder was die haar deed zwijgen, maar veel meer een diepe afkeer van zichzelf.

Ze had ontdekt dat mensen haar spontaniteit en vrolijkheid waardeerden, dus zorgde ze ervoor dat ze in gezelschap altijd opgewekt was. Doorlopend paste ze zich aan om vooral gewenst en geliefd te blijven.

Bob had gezien dat ze het die avond in de discotheek naar haar zin had en hij verweet haar dat ze zo nooit was als zij samen waren. 'Een deel van jou doet er niet aan mee,' had hij gezegd, en dat zag hij goed. In zijn buurt blijft ze op haar hoede. Maar hij vergist zich als hij meent dat ze op een avond met haar 'zogenaamde vrienden', zoals hij het laatdunkend uit-drukte, zichzelf is.

Bob heeft de afgelopen maanden meer van de ware Isabel gezien dan al die mensen in de discotheek.

Alleen dat laatste stuk van zichzelf durft ze in zijn bijzijn niet te tonen, omdat ze zeker weet dat hij haar eigenlijk niet echt de moeite waard vindt. Omdat ze ervan overtuigd is dat niemand haar echt de moeite waard vindt. Die boodschap heeft ze van haar moeder meegekregen, en van Dennis net zo goed toen hij vertrok.

Na haar verhuizing heeft ze er alles aan gedaan om haar jeugd te vergeten, en om zichzelf voor te houden dat ze leuk is als ze haar masker van vrolijkheid opzet. Nu ziet ze dat het niet is gelukt, want haar zusje houdt haar wonden open en laat ze schrijnen. Gedachten aan Britt leveren schuldgevoel op, omdat ze weet wat Britt doormaakt en ze niet in staat is om daar iets aan te doen. Ook over de smeekbede van Britt om bij haar te mogen wonen, wil ze niet nadenken. Arnhem betekent het einde van een afschuwelijke tijd, en die gaat ze niet meer binnenhalen.

Nooit meer.

Dennis kijkt nog één keer zijn woonark rond, die zo lang zijn thuis is geweest. Herinneringen spatten van elk meubelstuk, van die ellendige kachel, die hij een paar maanden geleden uiteindelijk toch weer aan de praat had gekregen, tot aan de lampen aan de wand.

'Laat alles maar gewoon staan,' had de man gezegd die de boot van hem had overgenomen. 'Ik knap de boel een beetje op, en dan kan het allemaal nog best een poosje mee.'

Veel luxe was de nieuwe bewoner al jaren niet gewend. Uitgebreid had hij Dennis verteld van de moeilijke omstandigheden na zijn scheiding, van zijn bedrijf dat failliet was gegaan en hoe hij zichzelf naar de ondergang had gedronken. Na jaren van verval was er nu een vrouw die van hem hield, en die samen met hem het leven weer wilde oppakken.

Dennis had onbewust aan Christa gedacht en een steek van jaloezie gevoeld, maar hij was zich ervan bewust dat hij daar niets mee opschoot. Als hij nog iets van z'n leven wilde maken, moest hij daar zelf iets aan doen.

Hij treuzelt, kijkt naar de oude fauteuil in verschoten blauw. Daar zat Christa altijd als ze bij hem was, opgekruld als een jong katje.

Kort na haar dood had hij de aanblik van die stoel bijna niet kunnen verdragen, nu kan hij er bijna niet van scheiden. Deze woonark achterlaten voelt alsof hij definitief afscheid van Christa neemt, alsof ze al die jaren nog bij hem is geweest. Nog even overweegt hij om naar haar graf te gaan, maar hij verwerpt dat idee meteen. Hoe vaak is hij daar niet ontgoocheld vandaan gekomen? Die fraaie grafsteen zei hem niets, ook al stond haar naam erop. Hij vond er Christa niet onder de fluisterende bomen en de fraaie boeketten die haar graf onophoudelijk sierden. Dat was het werk van haar ouders, wist hij. Ze kwamen elke week om verse bloemen neer te zetten. Zij vonden daar troost in.

Hij niet. Op geen enkele manier.

'Christa...' Haar naam in zijn hoofd, en zo zal ze altijd met hem mee gaan, ook nu hij teruggaat naar de Noordoostpolder, waar hij in een klein dorp voor een halfjaar een zomerhuisje heeft kunnen huren. Hij wil opnieuw beginnen. Zijn boot bracht minder op dan hij hoopte, maar hij wist ook wel hoeveel er opgeknapt moest worden, en hij had het bod van de man direct geaccepteerd. Voorlopig hoefde hij zich geen zorgen te maken en kon hij volop aan de slag om zich weer als fotograaf te presenteren. Hij heeft zijn oude camera ingeruild voor een prachtige spiegelreflexcamera met veel meer mogelijkheden. Hij is zich ervan bewust dat hij de tijd niet mee heeft, maar hij weet ook dat hij een goede fotograaf is, dat hij bijzondere plaatjes weet te schieten als hij niet wordt afgeleid door drank en geldzorgen.

Het leven begint bij veertig. Bij hem heeft dat een jaar of vijf langer geduurd, maar nu is de tijd daar. Isabel moet weer trots op haar vader zijn. Vanaf het moment dat hij na zijn logeerpartij bij haar weer op zijn boot kwam, was hij daarvan doordrongen geweest. Hij wilde niet langer de vader zijn die als een last rond haar nek hing. Hij wilde die blik in haar ogen niet meer zien, die hem vertelde dat hij een waardeloze man was die haar in de steek had gelaten.

Genoeg getalmd. Met lome bewegingen pakt hij zijn bagage bij elkaar en hij gaat ermee op weg naar het kleine, tweedehandsautootje van bijna tien jaar oud dat hij voor een prikje heeft kunnen kopen.

Fotograaf Dennis Blankvoort gaat op weg naar een nieuw leven. Hij voelt niet langer spijt als hij de sleutel onder de gebarsten bloempot bij de deur legt, zoals hij heeft afgesproken. Een zeker gevoel van opwinding heeft zich van hem meester gemaakt.

Het oude is voorbij.

Het nieuwe wacht.

Pleun en Willem Kramer, zo heten de mensen die haar van de brug hebben gered, en Bianca heeft hen meteen tot vrienden verklaard. Pleun komt dagelijks aanlopen wanneer ze haar Engelse buldog Doris uitlaat. Ze blijft een praatje maken en drinkt een kopje koffie mee.

Op de derde dag lucht Bianca haar hart over haar oudste dochter die zo ondankbaar is en vrijwel nooit komt. Willem had al verteld dat hij versteld had gestaan toen Isabel tijdens hun telefoongesprek op de bewuste avond zo lauw reageerde. 'En voor je kinderen doe je toch alles,' verzucht Bianca. 'Ik heb me altijd voor hen opgeofferd, en dat is niet makkelijk geweest als alleenstaande moeder.'

Ze voelt Pleuns medelijden en gaat verder: 'Ik ben bang dat Britt net zo wordt. In een gezin met een vader is het anders. Het lijkt alsof een vader meer overwicht heeft.'

'Willem niet, hoor.' Pleun grijnst breed. 'Hij is een beste

kerel, maar onze drie dochters wonden hem om hun kleine vingertjes. Van Willem mochten ze alles. Als ik iets verbood, liepen ze linea recta naar hun vader en die trapte er altijd in. We hebben er vaak genoeg ruzie over gehad. Willem is gewoon veel te goed.'

'Ik ben zo blij dat ik jullie nu ken. Vanaf het begin voelde het vertrouwd. Het is toch een wonder dat jullie net op dat moment langskwamen.'

'We hebben 's nachts geen oog dichtgedaan,' erkent Pleun. Ze is een grove vrouw van een jaar of vijftig met kort, grijs haar en een donkere bril. Haar brede heupen probeert ze te verbergen onder ruime shirts, die ze in alle kleuren en dessins in haar kast heeft hangen. Daaronder draagt ze steevast een spijkerbroek en gympen. 'Je hebt ons echt heel erg laten schrikken. Zoiets verwacht je niet, en zeker niet in Emmeloord, en al helemaal niet op die plek.'

'Dat spijt me, maar ik beschouw jullie nu al als mijn vrienden. Jij bent mijn beste vriendin.' Bianca kijkt Pleun aan terwijl ze Doris in zijn nek kroelt, die hijgend en kwijlend onder de tafel ligt.

Bianca is blij met haar nieuwe beste vriendin. Bij Pleun voelt ze zich vertrouwd en bovendien slaat Patrick op de vlucht zodra hij Pleun ontdekt. 'Hoe kom je aan dat mens?' wilde hij de eerste keer weten.

Ze had hem op de mouw gespeld dat ze Pleun van vroeger kende en dat ze elkaar nu toevallig tegen het lijf waren gelopen.

Zorgvuldig verstopt Bianca haar gehavende armen onder shirts met lange mouwen. Patrick heeft geen commentaar gegeven op het door haar verwijderde verband. Het lijkt soms alsof hij daar niet eens meer aan denkt.

Britt was zondagavond teruggekeerd van het weekendbezoek aan haar vader. Ze vond Pleun maar een raar mens en Doris een

152

vies beest, en dat had ze niet onder stoelen of banken gestoken, maar Bianca had haar meteen het zwijgen opgelegd. 'Ik héb in ieder geval nog een vriendin en dat kun jij niet zeggen. Jij moet ook eens wat socialer worden. Ik snap niet dat je thuis altijd met je neus in de boeken wilt zitten. Doe je dat bij je vader ook? En heb je zijn vriendin nog getroffen? Ik hoop toch niet dat je daar wel gezellig bent, want hier ben je niet te genieten. Ik zou echt willen dat ik wat leukere dochters had...' Het ergste was dat het Britt niets leek uit te maken. Ze had haar schouders opgehaald en was naar haar kamer vertrokken.

Op de vierde dag na hun kennismaking vindt Bianca dat het tijd wordt om Pleun en Willem voor het eten uit te nodigen. 'Laat me jullie morgen eens lekker verwennen,' biedt ze aan. 'Als dank voor mijn redding. Dan kan Willem ook eens kennismaken met Britt. Misschien is het wel goed voor haar als er zo nu en dan eens een man aan tafel zit.'

'Onze jongste dochter is nog thuis,' aarzelt Pleun. 'Die kan zichzelf wel een dagje redden, maar...'

'Die kan natuurlijk meekomen. Leuk, dan zijn we een echt huisgezin. Zijn er dingen die jullie niet lusten?'

'Willem houdt niet van spruiten en bij Diana moet je niet met vis aankomen.'

'Ik hou zelf ook helemaal niet van vis, en in mei hoef ik geen spruiten. Ik verheug me er heel erg op.'

Als Pleun even later verdwenen is, dweilt Bianca neuriënd het spoor van kwijl van Doris op.

Dennis zit in het donker voor het raam van zijn nieuwe onderkomen. Ook op deze tweede avond mist hij het klotsen van de golfjes rond zijn boot. Onwennig luistert hij naar het ruisen van de wind door de boomkruinen. Oude takken kraken onder het gewicht van het jonge voorjaarsgroen, in het licht van de maan ziet hij konijnen over zijn terras rennen. Verdwenen zijn de vertrouwde geluiden van de stad: optrekkende auto's, het bellen van trams, stemmen die zich verheffen, kofferwieltjes over de ongelijke klinkers en de gids van een passerende rondvaartboot die in drie verschillende talen de bezienswaardigheden van de stad aanprijst. Jarenlang vormden ze de onophoudelijke ruis in zijn bestaan. De stilte hier voelt bedreigend, voert hem terug naar zijn diepste zelf. Wat heeft hem bezield om juist hier te gaan wonen? Hij overschat zichzelf nog altijd. Hoe kan hij op deze plek aarden en opnieuw beginnen als de stilte hem naar de keel grijpt? Bijna pijnlijk voelt zijn verlangen naar het rustgevende kabbelende water, de troep en de ratten vergeet hij voor het gemak.

Zijn blik volgt de konijnen, die zich onbespied en veilig wanen. Hij zou de radio of de televisie kunnen aanzetten, maar hij voelt zich te lamlendig. Liever wentelt hij zich in zelfbeklag totdat hij naar bed gaat. Het is goed dat hij hier nog geen drankvoorraad bezit. Onherroepelijk zouden de flessen een voor een geleegd worden totdat hij niet meer kon en alleen de afschuw van zichzelf hem restte.

Zijn blik glijdt door de donkere kamer, die hij zich heeft toegeëigend maar die nog niet van hem is door de vreemde, onwennige meubels, de onbekende geur, zijn doorlopend zoeken naar spullen. Met de foto van Christa heeft hij geprobeerd om er nog iets vertrouwds aan te geven. Hij kreeg een bedankkaartje na haar begrafenis. Daarop straalde haar lachende gezicht hem tegemoet. Hij draagt het kaartje altijd bij zich, haalt het tevoorschijn als hij er behoefte aan heeft. Nu staat het op het dressoir van licht eiken fineer.

Vandaag moet hij die foto blijven bestuderen om niet tegen de muren op te kruipen.

In het grijze schemerlicht van de binnendringende maan lijkt haar blik hem te volgen, waar hij zich in deze kleine kamer ook bevindt.

'Dag Christa…' fluistert hij, hoewel hij zich er scherp van

bewust is dat geen mens hem hier zal horen. Hij kan schreeuwen als hij wil. 'Ik mis je zo.'

Zijn blik fixeert de foto. Als hij lang genoeg naar haar staart, wordt haar glimlach breder. 'Christa... ik ben nooit alleen, hè?'

Oorverdovende stilte volgt op zijn woorden, maar hij blijft naar de foto kijken tot haar glimlach zich uitbreidt.

12

De volgende dag zit de familie Kramer bij Bianca en Britt aan tafel, terwijl hond Doris eronder ligt. Britt verbeeldt zich dat ze hem doorlopend ruikt, of zou het Willem zijn? Hoe haar moeder nu ineens aan die mensen komt, is haar een raadsel, maar bij haar moeder kunnen dergelijke dingen gebeuren. In ieder geval ziet Willem er niet zo heel erg fris uit en Pleun praat aan één stuk door. Dochter Diana heeft duidelijk ook niet veel zin in dit gezamenlijke etentje. In haar zwijgen ligt dat er duimendik bovenop.

Leuke vrienden. Britt heeft liever geen vrienden dan deze mensen.

Af en toe richt Willem het woord tot haar. Hij wil weten naar welke school ze gaat, of ze in een leuke groep zit en of ze veel vriendinnen heeft. Ze antwoordt snel om ervan af te zijn.

Onder de tafel knort Doris. Britt voelt zich een beetje onpasselijk worden van de weeë geur aan tafel. De paella, waar ze normaal dol op is, lijkt zelfs anders te smaken dan gewoonlijk.

'Je kunt goed koken,' hoort ze Pleun tegen haar moeder zeggen. 'Maar een volgende keer mag het wel een beetje pittiger. Heb je misschien maggi in huis? Willem, jij zult het ook wel flauw vinden?'

Willem is het met Pleun eens, en Britt weet nu al dat de vriendschap tussen Pleun en haar moeder niet heel lang zal duren.

Opgelucht eet ze verder.

De paella smaakt al beter.

Het opgewekte humeur van haar moeder slaat meteen om als Willem, Pleun en dochter Diana vertrokken zijn. Vermoeid leunt ze tegen de deurpost. 'Britt, het opruimen en de afwas zijn voor jou. Dat trek ik echt niet meer. Vanmiddag heb je niets uitgevoerd terwijl ik aan het koken was, dus je kunt nu weleens iets doen.'

'Ik moest vanmiddag huiswerk maken en ik heb het nog niet af,' stribbelt Britt tegen. Meteen weet ze dat ze dat beter niet had kunnen zeggen.

'Je wilt eronderuit komen, bedoel je.' Onverwacht kletst haar moeders hand tegen haar wang, felle pijn schiet door naar Britts oor.

'Au!' Het ontglipt haar.

'Stel je toch niet zo aan!' Opnieuw heeft ze een klap te pakken. 'Waarom kun je nou niet eens doen wat ik je vraag? Ik moet nu gewoon een poosje rusten. En ik verwacht van je dat je de afwas dit keer goed doet. De vorige keer probeerde je je ervan af te maken. Aan de borden kon ik later zien wat we hadden gegeten. Ik wil dus dat je het nu een keer gewoon goed doet en reken er maar op dat ik het straks controleer...'

Britt wil niet huilen, in ieder geval niet in aanwezigheid van haar moeder, maar de tranen laten zich niet weerhouden en glijden stilletjes langs haar wangen naar beneden.

'Snotterkop!' bijt haar moeder haar toe. 'Je moet je eens niet zo aanstellen. Ik snap best waarom jij geen vriendinnen hebt. Je gedraagt je als een klein kind en als je jankt, zie je eruit als een biggetje...'

Wanneer haar moeder in zo'n stemming is, lijkt het alsof ze er genoegen in schept om Britt te kleineren. Waarom kan ze haar tranen niet tegenhouden? Op school is ze ook zo'n jankerd. Was ze maar anders. Durfde ze maar net zoals Isabel gewoon weg te gaan. Maar waar moet ze heen? Isabel was veel ouder toen ze vertrok. Die had een baan. Waarom mocht ze niet bij Isabel wonen? Haar zus weet toch wel dat ze heel zelfstandig is? Zo kookt ze ook heel vaak als haar moeder te moe of te verdrietig is om uit bed te komen. Dat zou ze ook voor Isabel kunnen doen, zodat het eten klaar is als ze uit haar werk komt.

'Nou, uitgejankt?' Haar moeder kijkt haar laatdunkend aan. 'Laat dan je handen maar eens wapperen, zou ik zeggen. O nee, nog niet uitgejankt, zie ik. Maar onderwijl kun je wel alvast aan de gang. Dat gaat je huilend ook wel lukken. En nogmaals: ik ga het straks controleren.'

Britt gaat haar voor naar de kamer. Terwijl ze de borden opstapelt, ziet ze hoe haar moeder in een hoekje van de bank gaat zitten. Ze trekt haar knieën op nadat ze haar schoenen heeft uitgeschopt en verbergt haar gezicht in haar handen. Toonbeeld van tomeloos verdriet.

'Je moeder is gek!' Hoe vaak had Daphne haar dat inmiddels nageroepen?

Britt ging er altijd tegen in, maar de laatste tijd begint het steeds meer tot haar door te dringen dat Daphne misschien wel gelijk heeft.

Bianca is weer van de bank opgestaan. De geluiden uit de keuken irriteren haar, en tegelijk voelt ze wroeging, verdriet en angst, een achtbaan vol emoties. Ze houdt het in de kamer niet langer uit, loopt naar haar slaapkamer en gaat voor haar kaptafel staan. In de spiegel ziet ze wat ze niet wil zien.

Vergane glorie, vergankelijke schoonheid...

Soms voelt ze dat niet. Nu wel.

Het leven is aan haar voorbijgegleden zonder dat ze eraan deelgenomen heeft. Ze ziet het in de weerspiegeling van haar net iets te slanke lichaam. Huwelijksboten kapseisden, ze kon ternauwernood overleven in de golven.

Kijk haar: twee keer getrouwd, vage, valse vrienden, dochters die niets om haar geven, angst voor het leven, bang voor de liefde, en omringd met onmetelijke leegte.

In al die veertig jaren van haar leven heeft ze zichzelf nooit leren kennen. Als iemand aan haar zou vragen wie ze is, moet ze het antwoord schuldig blijven. Ooit was ze een kind met dromen. Was haar leven anders verlopen als haar vader was gebleven? Zijn moment van vertrek had haar de betekenis van angst geleerd. Ondanks zijn geruststellende woorden wist ze dat hij niet terugkwam.

Haar vader Bertold had in haar leven veel goedgemaakt, maar het lukte hem niet om haar het vertrouwen in haar leven weer te geven. Hoe komt het dat ze mannen aantrekt en weer afstoot? 'Je put me uit,' verweet Dennis haar kort voor zijn vertrek. 'Met jou weet ik nooit waar ik aan toe ben. Als ik nog langer blijf, word ik zelf gek.' Met vrijwel dezelfde afscheidstoespraak vertrok Roy zo veel jaren later.

Alsof zij gek is.

Ze is alleen bang dat de mensen van wie ze houdt voorgoed zullen verdwijnen. Ze had het bij Dennis, bij Roy, bij Isabel en nu voelt ze diezelfde angst als ze eraan denkt dat Britt ook weggaat.

Ergens ziet ze het irreële van haar angst in. Britt is nog veel te jong om voorgoed te vertrekken.

Lijkt het zo, of hoort ze werkelijk het geluid van de achterdeur? Bianca spitst haar oren, ze hoort voetstappen, een stem die ze herkent als die van Patrick. Britt geeft antwoord.

Patrick en Britt...

Een huivering glijdt langs haar ruggenwervel naar beneden. Ze moet naar beneden om Britt te beschermen, maar alles in haar steigert. Ze kan het niet, moe als ze is van het denken, van het vechten tegen zichzelf.

Huilend zakt ze op de rand van het bed neer.

Ze kan het niet.

Ze kan het echt niet.

'Sta jij nu in je eentje die afwas te doen?'

Britt kijkt Patrick schichtig aan. Ze knikt.

'En waar is je moeder dan?'

'Mama is moe, ze is erg moe en daarom ligt ze in bed.'

'En jij moet in je eentje...'

'Dat kan ik wel,' zegt ze dapper. 'Dat kan ik best, hoor.'

Ze ziet hoe hij geërgerd op zijn lippen bijt. 'Is ze nu helemaal stapelgek geworden,' sist hij.

'Maar ik kan het best, hoor.'

Stel je voor dat hij straks aan haar moeder overbrieft dat hij vindt dat ze dit niet kan.

'Ja, je zult het best kunnen als je dit vaker doet. Hier, geef me die theedoek.'

Britt voelt zich koud worden als hij de theedoek van haar schouder grist. 'Ik kan het echt wel zelf.'

'Ik help je.' Zijn stem duldt geen tegenspraak. Hij grijpt een eerste dessertschaaltje van de stapel op het afdruiprek.

Britt borstelt verwoed door een soepkom, haar armen dicht tegen haar lichaam aan, alsof ze zich zo tegen hem kan beschermen. Hij gaat snel. Veel sneller dan zij. De stapel slinkt zichtbaar.

Af en toe kijkt ze naar hem. Soms treft haar blik net de zijne. Hij heeft enge ogen, vindt ze. Ze zijn heel donker en ze bezorgen haar de rillingen.

'Britt?'

Ze schrikt van zijn stem, die ineens door de keuken klinkt. De theedoek blijft werkeloos in een pan hangen. 'Meisje, ik wil niet dat je bang voor me bent.' Hij legt zijn vrije hand op haar schouder en dat bezorgt haar opnieuw een koude rilling. Ze durft zich nauwelijks te bewegen, en klemt haar ellebogen nog dichter tegen haar bovenlichaam aan.

'Vertrouw me nou.' Zijn stem klinkt smekend. 'Je moeder is... hoe moet ik het zeggen... ze is anders... geestelijk niet helemaal in orde... ze is...'

'Ze is gek,' vult Britt het voor hem in.

'Nee, dat wou ik niet zeggen. Ze heeft het geestelijk zwaar en ze zou hulp moeten zoeken.'

Ze begrijpt hem niet en ze wilde maar dat hij die hand van haar schouder haalde.

'Ik zie wel dat je het moeilijk hebt. Als je ooit... denk er alsjeblieft niets verkeerds van, maar als er eens iets is... kom dan naar me toe. Als je hulp nodig hebt, aarzel dan niet.'

Ze haalt haar schouders op en dat is voor hem eindelijk het teken om zijn hand weg te halen. Opnieuw zwijgend, werken ze het laatste beetje afwas weg. Tot haar grote opluchting vertrekt hij daarna weer naar zijn eigen huis, maar het is alsof ze de druk van zijn hand op haar schouder de hele avond blijft voelen.

Uitgeput bereikt Isabel het eind van de week, en opgelucht vertrekt ze die avond naar Lauren om samen uit te gaan en die verontrustende gedachten naar onbekende oorden te verbannen. Lichten flitsen over de dansvloer, vervormen bewegingen en gezichten van de dansende menigte op het ritme van bonkende muziek. In haar korte, zwarte jurkje beweegt Isabel zich lichtvoetig en met opgeheven hoofd tussen de mensenmassa. Van de bewonderende blikken is ze zich niet bewust. Bassen dreunen in haar oren en verjagen haar vermoeidheid van de afgelopen week. Dit is de beste remedie tegen deprimerende gedachten, en zo lukt het haar ook om Bob op afstand te houden. Als ze even pauzeert, hangt ze de clown uit, ze maakt grapjes en laat haar lach steeds weer klateren. Ze speelt de rol die ze uitstekend beheerst en ze wil niet anders. Dit is de manier waarop ze wil leven.

Met Lauren heeft ze geen woord meer over Bob gesproken, al heeft Lauren vlak voor hun vertrek nog wel even opgemerkt dat geen man het waard is om te blijven kniezen en dat ze er een supergave avond van gaan maken.

Van vermoeidheid is geen sprake meer. Integendeel: het is alsof alle energie in Isabel terugvloeide op het moment dat ze bij de portier haar jas afgaf.

Mike laat zich niet zien en ze vraagt zich af of ze daar blij mee of teleurgesteld over is. Stiekem kijkt ze naar hem uit, maar naarmate de tijd verstrijkt, verwacht ze hem niet meer. Verrast ontdekt ze hem toch als het al een eind na middernacht is.

Zodra hij arriveert, weet hij de anderen op afstand te houden.

Het is alsof hij zich haar toe-eigent en ze laat het gebeuren. Voorzichtig legt hij zijn handen op haar rug. Ze heft haar gezicht naar hem op en lacht. Mike zal haar nooit zo dicht naderen als Bob. Voor Mike is ze niet bang. Maar als hij haar wil kussen, draait ze haar hoofd weg.

Dennis heeft de eerste werkweek in zijn nieuwe omgeving overleefd. Zo voelt het in ieder geval als hij op zondagmorgen al vroeg wakker wordt. In zijn bed luistert hij naar de vogels die het bos bevolken. Hij neemt zich voor om een vogelboekje te kopen. Of beter is het misschien nog om ergens een oude computer op de kop te tikken. Volgens de eigenaar van dit huisje is hier een internetaansluiting. Op die manier kan hij de bijbehorende vogelgeluiden ook beluisteren. Bovendien kan hij z'n foto's erop bewaren en hij zou Isabel af en toe kunnen mailen. Ze weet nog helemaal niet dat hij is verhuisd. Wat zal ze verrast zijn als ze hoort dat hij terug is in de polder.

Met gesloten ogen blijft hij nog even liggen. De vogels buiten vieren de lente. Hij herkent het koeren van houtduiven, en de zang van een koolmees weet hij ook nog thuis te brengen. Dan sluimert hij toch weer even in.

Een uur later schrikt hij wakker van het geluid van een auto die in de richting van zijn huisje lijkt te komen. Hij staat op en gluurt door een kier van de gordijnen naar buiten. Vlak voor zijn huisje slaat een terreinwagen af. Achter het stuur zit een man met een alpinopet, die geen acht slaat op zijn aanwezigheid in het kleine zomerhuis.

Dennis rekt zich uit en besluit dat hij nu maar het best kan opstaan. In de kleine badkamer neemt hij een douche. Daarna trekt hij het overhemd aan dat hij van Isabel heeft gekregen, en dat hij als zijn lievelingskledingstuk beschouwt. Aan de kleine beukenhouten eethoek eet hij een boterham met aardbeienjam en hij staart naar de foto van Christa. Haar glimlach roept een diep verlangen in hem wakker. Hij zou weer even terug willen naar de jongeman boordevol dromen en plannen, die hij ooit was. Van al die voornemens is helemaal niets terechtgekomen. Hij heeft van zijn leven een puinhoop gemaakt, dat is het enige wat zeker is. Dit zomerhuisje lijkt zijn falen te onderstrepen. Wat rest hem nog in dit leven? Hoe zou het verder met hem zijn gegaan als Christa niet was vermoord? Zouden ze nog steeds vrienden zijn? Hij voelde destijds meer dan vriendschap voor haar, maar zij bleef de hulpverlener. Had er een kans in gezeten dat ze op den duur meer voor hem zou zijn gaan voelen?

Een diep heimwee overvalt hem en hij roept zichzelf tot de orde. Het heeft geen enkel nut om erover na te denken hoe het zou kunnen zijn geweest. Hij moet in het heden leven, en dat speelt zich momenteel af in dit zomerhuis in de bossen van de polder. Daar moet hij zijn leven weer oppakken. Hij zal nooit weten of Christa meer voor hem zou zijn gaan voelen. Hij zal ook nooit achter de zin van haar gruwelijke dood komen. Waarom? Waarom zij? Hoe vaak heeft hij zich dat niet afgevraagd? Daarna blijft het altijd oorverdovend stil.

Buiten is de dag grauw. Hij besluit toch een wandeling in zijn nieuwe woonomgeving te gaan maken. Als hij hier blijft zitten, stikt hij.

Het bos is niet groot. Na twintig minuten staat hij vlak bij een dorp. Een kerkklok lijkt hem te roepen. Hij aarzelt, maar besluit nog even door te lopen. Aan de rand van het slaperige dorp staat een uitgestorven restaurant, een vrouw met een hond passeert hem als hij door een van de stille straten loopt. Ze groet hem vriendelijk.

Vlak bij het kleine centrum ontdekt hij wat meer leven. Auto's passeren hem en parkeren even verderop vlak bij een kleine kerk. Vanuit de rechthoekige toren klinkt het gebeier van de kerkklokken nu nog indringender. Hij loopt voorbij en blijft een eindje verderop stilstaan. Het is bijna tien uur, ziet hij op de torenklok. De laatste mensen haasten zich naar binnen zonder aandacht aan hem te besteden. Zijn ogen vestigen zich op de klok. Hij ziet de wijzers verspringen, het beieren sterft langzaam weg en dan wordt de deur van de kerk gesloten.

De vrouw met de hond heeft blijkbaar een rondje gewandeld. Ze komt hem nu tegemoet en opnieuw groet ze vriendelijk. Hij weet niet waarom hij blijft staan. Binnen klinkt gedempt gezang. De melodie is hem vaag bekend. De woorden kan hij niet volgen, maar het is alsof Christa's woorden hier door die dichte deur klinken: 'Als je God kent, ben je nooit alleen...'

Langzaam ontstaat er rust in hem, zijn de waaroms verdwenen en is er een vaag besef dat hij daarom Christa heeft mogen kennen, omdat haar woorden voor altijd in zijn hart geplant zijn.

Als hij terugloopt, voelt hij zich ongekend krachtig.

Britt zit op deze zondagmorgen al voor de televisie vanaf het moment dat ze uit bed is gekomen. Ze heeft haar moeder thee en een boterham op bed gebracht, maar dat had nauwelijks een reactie opgeleverd. Vandaag lijkt het eindelijk weer eens een rustige dag te worden. Voor de zekerheid heeft Britt de achterdeur op slot gelaten, zodat Patrick niet ineens kan binnenkomen.

Ze laaft zich aan kinderfilms en gaat 's middags een poosje aan tafel zitten tekenen. Buiten schijnt de zon. Daphne speelt met kinderen uit de buurt en kijkt af en toe naar binnen. Britt doet net alsof ze niets ziet.

Later spit ze de vriezer door en vindt daar nog een zak met krentenbollen. Nu haar moeder niet in de buurt is om haar bestraffend over verkwisting toe te spreken, geniet ze van drie krentenbollen met kaas.

Het is een heerlijke dag.

13

In de weken erna treffen Isabel en Mike elkaar vaker. Met Lauren is ze een keer naar een optreden van de band geweest, waarvan Mike de zanger is, en ze voelde trots toen ze hem daar op het podium zag staan. Op dat moment drong echt tot haar door hoe knap Mike was. Het vrouwelijk deel van het publiek scandeerde zijn naam, drong zich aan hem op, en hij was onmiskenbaar het populairste lid van de band. En juist hij wilde haar...

Kort daarna krijgen ze officieel verkering. Lauren lijkt daar nog het meest gelukkig mee.

'Straks zijn we familie!' jubelt ze als Isabel haar het nieuws vertelt. 'Dan word je m'n aangetrouwde nichtje!'

'Je gaat me een beetje te snel.' Isabel lacht als een boer die kiespijn heeft. 'Trouwen is voorlopig niet aan de orde.'

'Nee, maar je begrijpt me wel. Ik vind het echt super! Je moest eens weten hoe graag Mike dit wilde. Hij belde me de laatste maanden steeds weer, en ik zei natuurlijk heel braaf dat hij geen schijn van kans maakte. In mijn hart wist ik wel beter. Mike en jij passen hartstikke goed bij elkaar, veel beter dan jij en dat brave knulletje Bob.'

'Die ken je helemaal niet.' Isabel voelt verontwaardiging opborrelen. 'Zo braaf was Bob niet. Hij was wat rustiger, en gewoon... heel anders dan Mike.'

'Precies, en naar mijn mening passen Mike en jij veel beter bij elkaar.'

Het is gek dat de naam van Bob nog zo veel bij Isabel losmaakt en hoe vaak ze in gedachten nog bij hem is. Als Mike haar kust, durft ze haar ogen bijna niet te sluiten, bang als ze is om Bob weer voor zich te zien.

Lauren heeft in ieder geval gelijk dat Mike een heel andere persoonlijkheid is dan Bob. Als ze bij elkaar zijn, vertelt hij over de school waar hij gymnastiekles geeft, over zijn leerlingen die hem op handen dragen en de meisjes die hem adoreren. Zijn band is een tweede onderwerp waarover hij uren kan vertellen. En natuurlijk heeft hij ook belangstelling voor haar, maar op een heel andere manier dan Bob. In zijn nabijheid voelt ze zich soms bijna kleurloos met haar baantje in de fysiotherapiepraktijk en haar keurige flatje. Haar twijfel blijft. Stiekem was ze onlangs zelfs na werktijd langs het huis gereden waar Bob zijn kamer heeft, maar natuurlijk zag ze hem niet. Ze voelde zich belachelijk en vol schaamte had ze zich voorgenomen om dit nooit meer te doen. Aan het hoofdstuk Bob is een eind gekomen en ze moet het boek sluiten.

In de tijd die volgt doet ze daar wanhopig haar best voor. Ze stort zich met overgave in haar nieuwe relatie. Het voorjaar maakt plaats voor de zomer en drukke tijden breken aan voor de band waarin Mike zingt, omdat ze op verschillende festivals optreden. Hij wil graag dat ze erbij is en Isabel gaat mee. Ze komt op plaatsen waar ze nooit eerder is geweest, maakt kennis met bijzondere mensen, maar ook met de vriendinnen van de andere bandleden. Overal waar ze komen, wordt ze door een trotse Mike voorgesteld als 'mijn vriendin'.

De rest van de avond blijft er weinig tijd voor haar over, druk als hij is met de repetities en later met hun optreden, maar hij verzekert haar steeds weer dat hij elk nummer speciaal voor haar zingt. Op zonnige dagen wacht hij haar soms als verrassing na werktijd op in zijn blitse cabriolet. Samen rijden ze een eind, terwijl de wind haar haren laat fladderen en de zon haar gezicht kleurt. Isabel merkt bij verkeerslichten hoe Mike geniet van de belangstelling van andere automobilisten, en ook later als hij de auto bij een restaurant parkeert en vreemde mensen soms zomaar een praatje aanknopen.

Er gaat een wereld voor Isabel open waarmee ze niet eerder kennis heeft gemaakt, en juist daardoor lukt het haar om de rest te vergeten. Freek heeft nog een keer naar haar aardige 'lathyrusman' gevraagd nadat hij Mike in zijn cabrio voor de praktijk had ontdekt. Haar antwoord dat het niets tussen hen was geworden, bleek afdoende. Hij kwam er niet meer op terug.

Haar vader heeft haar al een paar keer na zijn onverwachte verhuizing gebeld en ze voelde wel hoe graag hij haar zijn nieuwe huis wilde laten zien, maar ze wimpelde hem af met de dooddoener dat ze het te druk had.

Met Britt heeft ze meer moeite. Sinds de vreemde man haar had verteld dat ze haar moeder van de brug hadden geplukt, belt Isabel een paar keer in de week met Britt om zichzelf gerust te stellen. Duidelijk is wel dat haar zusje niets weet van het nachtelijk avontuur van hun moeder. Wel vertelt ze over Pleun, die dagelijks aankomt met hond Doris. Britt laat verder weinig los, maar door al haar woorden klinkt de onuitgesproken vraag: 'Waarom mag ik niet bij jou wonen?'

Of verbeeldt Isabel zich dat maar en speelt haar eigen schuldgevoel op? 'Ik kom binnenkort weer,' belooft ze na elk gesprek, maar zoals gebruikelijk blijft het daarbij. Mike vult haar leven. Ze dompelt zich in hem onder en probeert uit alle macht om gelukkig te zijn.

Het is half juli en het is warm, maar voor Bianca is het nooit té warm. Ze bedenkt in de kille wintermaanden meer dan eens dat ze graag in een warmer land zou zijn geboren. De donkere dagen en de lage temperaturen vervullen haar elk jaar weer met afschuw, en het is net alsof ze daar in de herfst steeds meer tegen op gaat zien. Maar ze heeft de winter weer overleefd en op deze zonnige, bijna tropische julimorgen gaat ze lekker in de zon zitten. Nu kan ze nog genieten van de rust. Volgende week begint de zomervakantie van Britt. Gelukkig dat Roy haar al snel meeneemt op vakantie. Ze moet hem straks even bellen om te informeren waar hij heen denkt te gaan. Bovendien moet ze hem op het hart drukken dat ze er niet van gediend is als hij zijn nieuwe vriendin dan ook meeneemt. Natuurlijk zal hij haar bestaan weer ontkennen, maar Bianca kent hem langer dan vandaag. Aan alles voelt ze dat hij een nieuwe liefde heeft. Britt doet haar uiterste best om te doen alsof ze van niets weet, maar Bianca is niet achterlijk. Roy heeft zijn dochter niet voor niets een tijd lang zo verwaarloosd. De laatste maanden gaat het weer redelijk, maar Britt laat na een weekendbezoek veel minder los dan ze eerder deed.

Daar moet wel een nieuwe vriendin achter zitten.

Vanmorgen maakt Bianca zich daar even niet druk over als ze haar tuinstoel buiten zet met het voornemen om eens lekker in haar bikini van dit prachtige weer te genieten. Zorgvuldig smeert ze haar huid in met een zonnebrandcrème voor de rijpere huid. Ze drapeert een blouse met lange mouwen over de stoelleuning zodat ze die meteen kan aanschieten – en daarmee haar mishandelde armen aan het zicht kan onttrekken – als er onverwacht iemand komt. Tevreden laat ze zich achterover zakken. Over drie uur komt Britt uit school. Tot die tijd heeft ze het rijk alleen. Ze sluit haar ogen en probeert te ontspannen. Via de geopende achterdeur van het buurhuis klinkt iets te luid de opgewekte stem van een Nederlandse zanger: *Alleen door jou is het weer zomer. Alleen door jou kan ik weer dromen…* Haar buurvrouw zingt uit volle borst mee.

Bianca weet dat het niet lang zal duren. Over een kwartiertje vertrekt de buurvrouw naar haar werk en keert de rust weer. Ze ademt diep in en uit. De zon voelt al warm op haar gezicht, wind suizelt door de blaadjes van de berk die achter in de tuin staat, koolmeesjes maken ruzie. Hoog boven haar gaat een vliegtuig voorbij, ze opent haar ogen en volgt de witte streep aan de helderblauwe lucht. Wat zou de bestemming van het vliegtuig zijn?

Ze sluit haar ogen weer. De muziek vanuit het buurhuis stopt abrupt. De achterdeur gaat dicht en de sleutel wordt omgedraaid. Even later hoort Bianca voor het huis een auto starten. Buurvrouw gaat onderweg naar de kapsalon waar ze werkzaam is. Jammer, om met dit warme weer in de auto te gaan zitten.

Als Bianca nog werkte, zou ze voor de fiets kiezen. Maar ze werkt niet meer. Ook daarmee heeft ze het nooit getroffen. Haar eerste baan was in een groentewinkel, maar dat was geen succes omdat ze volgens haar baas te vrij naar de klanten reageerde. Hij was gewoon jaloers omdat die het prettiger vonden om door haar geholpen te worden dan door hem of door zijn vrouw. Daarna volgde een tankstation, maar daar moest alles via zulke strakke regels gebeuren dat ze er tegendraads van werd, en dat was niet de bedoeling. Als huishoudelijke hulp bij de thuiszorg lukte het ook niet echt. Die oude mensen hadden vaak zo veel noten op hun zang. Elk beeldje en elk lampje moest weer precies op z'n plaats worden gezet nadat ze het had afgestoft. Zo heel raar was het dan toch niet dat ze op een gegeven moment uit haar slof schoot? Werkgevers in Nederland lijken wel slavendrijvers. De klant is koning, maar daarin gaan ze wel heel ver, en zij is niet van plan om zich als een voetveeg te laten behandelen. Nu zit ze in de bijstand. Dat is geen vetpot, en zelfs met de alimentatie van Roy voor Britt redt ze het niet.

Ze probeert haar gedachten een andere kant op te sturen, want ze dreigen uit te komen bij de stapel onbetaalde rekeningen die nog ergens in een la ligt. Vandaag wil ze daar niet over piekeren. Voor alles is een oplossing en in het uiterste geval vraagt ze Patrick.

Weer ademt ze diep in en uit.

Ergens blaft een hond.

Verderop gaat een achterdeur open. Is dat de deur van Patricks woning? Ze gaat rechtop zitten, klaar om meteen haar blouse over haar bikini aan te schieten. Ze hoort voetstappen in de richting van de schuur lopen. Voor de zekerheid trekt ze haar blouse vast aan. Het is onmiskenbaar Patrick. Ze hoort hem fluiten. Even later loopt hij weer terug, maar de achterdeur blijft open. Ze aarzelt, vraagt zich ineens af of hij haar vanuit zijn slaapkamerraam kan zien liggen en schuift haar stoel nog een eindje verder naar de hoek. Haar blouse kan wel weer uit. Ze gaat liggen, sluit haar ogen, maar haar zintuigen blijven tot het uiterste gespannen, hoe ze ook zucht en puft en in- en uitademt. Patrick komt weer naar buiten. Gelukkig draagt hij buiten z'n klompen, zodat ze hem duidelijk hoort klossen. Ze trekt haar blouse aan en besluit dat het genoeg is geweest. Op deze manier lukt het haar nooit om lekker ontspannen te liggen. Ze gaat zich aankleden en dan op de fiets naar Pleun. Die heeft toch nooit iets te doen, en Bianca had juist gisteren gezegd dat zij binnenkort ook eens bij de Kramers wilde aanwippen. Dan kan ze nu best meteen de daad bij het woord voegen.

Voor de zekerheid doet ze de achterdeur op slot als ze zich boven omkleedt, maar Patrick laat zich niet zien. Haar onrust blijft en in de keuken probeert ze die onder controle te krijgen door de laatste wijn te drinken uit een fles die nog op het aanrecht staat. Er zit meer in dan ze dacht. Ze drinkt met grote, gretige slokken en zit even later vrolijk op haar fiets.

Van die vreugde is een kwartier later niets meer over. Pleun en Willem blijken niet thuis te zijn. Op Bianca's aanbellen wordt niet opengedaan en hun auto staat niet voor de deur. Ze snapt het niet. Pleun is nooit weg. Willem doet haar boodschappen en laat overdag vaak de hond uit. Als Pleun dat doet, komt ze steevast bij Bianca aan. Verder is ze overdag gewoon altijd thuis. Waarom heeft ze gisteren niet even verteld dat ze er vandaag niet was? Nu ze erover nadenkt, had Pleun ook niet heel enthousiast gereageerd toen Bianca aankondigde binnenkort eens te willen komen.

Ze zal het er toch niet om gedaan hebben?

Pleun steekt wel graag haar voeten bij een ander onder de tafel. Ze heeft samen met Willem inmiddels al drie keer bij Bianca thuis gegeten. Dochterlief laten ze na die eerste keer gewoon thuis, maar die stinkende worst op pootjes die ze Doris noemen, komt altijd mee. Elke keer krijgt Bianca een grotere hekel aan dat kwijlende gedrocht.

Als je zo vaak gratis uit eten gaat, is het geen wonder dat Willem en Pleun met hun jongste dochter en dat vieze mormel laatst een paar nachtjes een hotel konden boeken, denkt Bianca wrang. Voor haar is dat niet weggelegd, maar zij koopt zich blauw aan koffie en koeken, en als de familie blijft eten, slaat ze ook groot in. Nu ze aan die dagen denkt dat ze weg zijn geweest, schiet Bianca de sleutel te binnen. Zij mocht in die dagen voor de kwijnende planten van Pleun zorgen en had daarvoor die sleutel gekregen. Die zit nog steeds in haar tas. Waarom zal ze hier niet een poosje achter het huis gaan zitten? Misschien komt Pleun zo weer naar huis. Het zou toch jammer zijn als Bianca dan net vertrokken is? En hier heeft niemand last van haar, en zij heeft geen last van mannen als Patrick.

Ze rommelt in haar tas, vindt de sleutel en als ze de deur opent, lijkt de wereld weer even helemaal in orde.

De witte tuinstoel met het dikke kussen ligt uitstekend. Bianca dommelt er zowaar op weg, maar ineens schrikt ze toch weer wakker om te constateren dat ze dorst heeft. Ze bedenkt zich niet, maar gaat in de koelkast op zoek naar iets drinkbaars. Er staat een pak appelsap en een fles rosé. Bianca schenkt zichzelf een glas appelsap in, lest daarmee haar dorst en bedenkt dan dat een gekoeld roseetje er ook wel in gaat. Om niet voor extra afwas te zorgen, schenkt ze de rosé in hetzelfde longdrinkglas als waaruit ze net appelsap heeft gedronken. Ze neemt een slok. De rosé danst lekker fris over haar tong. Innig tevreden loopt ze met haar glas naar buiten en strekt zich weer uit. Ook hier klinken achter het huis allerlei geruchten die duiden op de aanwezigheid van buren, maar op deze plek is het niet bedreigend. Geen mens zal hier zomaar achter het huis staan, zoals Patrick dat bij haar gewend is.

Bianca voelt zich heerlijk ontspannen. Ze drinkt regelmatig

een paar slokken rosé en constateert dat het leven nog helemaal niet zo verkeerd is.

'Wat is dit dan! Wat bezielt je?' Bianca bevindt zich nog in dromenland als Pleun ineens naast haar stoel staat te schreeuwen. 'Wie denk je wel dat je bent?' Met zijn natte neus snuffelt Doris aan Bianca's blote voeten. Ze schrikt zo dat ze hem zonder na te denken een trap geeft.

'Je bent echt niet goed bij je hoofd!' Pleun vangt het jankende beest op en knuffelt het alsof het een baby is.

Langzaam komt Bianca bij haar positieven. Haar hoofd bonkt. Als de situatie goed tot haar doordringt, grijpt ze haar blouse van de leuning en slaat die om zich heen.

'Sorry, ik sliep.'

'Maar waarom slaap je hier? En hoe haal je het in je hoofd om die fles verrukkelijke rosé leeg te slobberen? Het is nog geen twaalf uur!'

'Meestal lurken jullie mijn flessen leeg, dus ik vond dat het nu eens mijn beurt was.' Bianca glimlacht schaapachtig en onderneemt pogingen om haar armen in de mouwen van haar blouse te steken. 'Ik nam aan dat je daar geen moeite mee zou hebben.'

'Dat heb ik dus wel! Je kunt toch niet zomaar in ons huis inbreken?' Ze zit nog steeds op haar hurken bij Doris, haar armen liefdevol om hem heen geslagen. Hij likt Pleuns gezicht.

'Inbreken noemt ze dat als ik hier even een poosje lig omdat ik me op deze plaats beter kan ontspannen dan bij mij thuis. Je had me gewoon gisteren even moeten melden dat je er vanmorgen niet was. Dan had ik niet voor een dichte deur gestaan.'

'Dat heb ik je gemeld. Ik heb je verteld dat ik vanmorgen naar de tandarts moest en daarna ben ik heel kort bij Willems moeder aangegaan omdat ze jarig is. Hij blijft daar de rest van de dag, maar ik heb voor de eer bedankt.'

'Dat heb je niet gezegd.'

172

'En of ik dat gezegd heb!'

'Ik weet zeker van niet!'

'Ik heb het echt gezegd, maar die hersens van jou zijn al zo door drank aangetast dat dergelijke dingen niet meer tot je doordringen.'

'Dat laat ik me niet zeggen!'

'Je moet het zelf weten, maar het wordt tijd dat je eens eerlijk tegenover jezelf wordt. Je drinkt niet, je zuipt! En ik wil niet dat je dat in ons huis doet, dus geef me onze sleutel terug.'

'Dan kan ik toch niet meer voor jullie planten zorgen als jullie nog eens weggaan?'

Pleun houdt haar hand op. 'Dat zal er voorlopig niet in zitten. Mocht dat wel gebeuren, dan kan ik je alsnog onze sleutel teruggeven. Maar op dit moment vind ik het geen fijn idee dat je zomaar in ons huis kunt inbreken.'

'Nee, profiteer maar van mijn goedheid zonder zelf ooit iets terug te doen!'

'Wat bedoel je nou? Ik heb toch heel vaak gezegd dat je best eens wat vaker bij ons mag komen? Jij beweert zelf dat je graag kookt en dat je het leuk vindt om bezoek te ontvangen. Willem en ik hebben weleens tegen elkaar gezegd dat je bijna je huis niet uit te krijgen bent!'

'Leg het maar weer bij mij neer. Altijd is alles mijn schuld!'

'Bianca, doe nou eens niet zo onredelijk. Laten we er even rustig over praten. Sorry dat ik uit m'n slof schoot, maar ik was nogal verrast om jou hier aan te treffen, en volgens mij heb je ook net iets te veel op.'

'Ik heb niets te veel op. Eén klein glaasje rosé om te proeven, meer niet!'

Ze zijn allebei opgestaan. Doris is aan Pleuns voeten gaan liggen, maar hij blijft Bianca in de gaten houden, die alleen nog maar kan schreeuwen. Woest is ze om de aantijgingen, waarvan volgens haar niets klopt. Het is alsof er een mechaniekje aangezwengeld is dat nu afloopt in een stroom van verwensingen, beschuldigingen en scheldwoorden, maar in plaats van te stoppen lijken die woorden de motor voor nog meer negatieve emotie.

Ze dringt steeds dichter op Pleun aan. Doris gaat weer op zijn kleine pootjes staan en begint vervaarlijk te grommen. 'Bianca, hou op. Je weet niet wat je zegt.' Pleun probeert haar nu met zachte stem het zwijgen op te leggen, maar Bianca's woede lijkt alleen nog maar toe te nemen en haar vuist raakt ineens Pleuns bovenarm. Doris hapt toe en schampt Bianca's kuit met zijn tanden. Pleun grijpt hem in z'n nekvel en roept hem tot de orde.

Bianca valt van schrik stil. 'Die rothond!' zegt ze dan uit de grond van haar hart. 'Ik hoop dat stinkbeest nooit meer te zien!'

Zenuwachtig knoopt ze haar blouse dicht en trekt haar bermuda en slippers aan, gooit de sleutel op de grond en vertrekt. Achter haar hoort ze Pleun nog roepen dat ze zich zo niet laat behandelen en dat Doris net zo goed blij is dat hij nooit meer bij Bianca thuis op die vieze vloer hoeft te liggen, en dat ze ook nog een waardeloze kok is.

Trillend zit Bianca op haar fiets, tevreden dat ze nu eindelijk eens heeft kunnen zeggen wat ze op haar hart had, maar eveneens met iets van verdriet omdat Pleun toch ook weer geen echte vriendin blijkt te zijn.

Britt hoort het hele verhaal van haar moeder als ze uit school komt. Opgelucht bedenkt ze dat het langer heeft geduurd dan ze vooraf had ingeschat, maar dat de vriendschap dan nu toch ten einde is. Nooit meer die schrale stank van dat Dorisbeest onder de tafel, of de weeë lucht van Willem naast haar. Geen Pleun meer als ze uit school komt en die dan samen met haar moeder begint over haar manieren en haar schoolwerk waarop ze beter haar best moet doen.

Nooit meer Pleun.

Nu is het afwachten wie de volgende wordt.

Dennis heeft zijn eerste opdrachten binnen en heeft ook nog een tweedehands computer met printer op de kop weten te tikken. Opgewekt constateert hij dat hij zijn leven steeds beter onder controle krijgt. Het gaat hem lukken om weer iets op te bouwen. Na al die jaren kan hij weer volwaardig in de maatschappij meedraaien. Zo voelt dat in ieder geval voor hem. Met zijn fototoestel is hij regelmatig onderweg, ook om voor zichzelf mooie plekjes te fotograferen. In de zomer is de polder prachtig met al die verschillende gewassen op het veld, maar ook in het dorp vereeuwigt hij fraaie stillevens. De kleine kerk heeft hij al diverse malen in wisselend licht vastgelegd, en steevast komt op die momenten de vrouw met de hond voorbij. Ze glimlacht vriendelijk en begon onlangs zelfs een praatje met hem. Hij heeft nog niet te veel van zichzelf blootgegeven. Ze mag natuurlijk weten dat hij fotograaf is, want wie weet wat dat in de toekomst nog oplevert, maar verder houdt hij zich op de vlakte. Wel heeft hij vannacht van haar gedroomd.

Het was een vreemde droom. Hij moest in opdracht het Rijksmuseum in Amsterdam fotograferen en toen hij onderweg was, merkte hij plotseling dat de vrouw naast hem in de auto zat. De hond had ze dit keer thuisgelaten. Hij had haar van alles gevraagd, maar niet één keer gaf ze antwoord. Ze lachte alleen maar met die wat geheimzinnige glimlach van haar. Op een gegeven moment waren ze op de plek van bestemming aangekomen, en hij merkte dat haar aanwezigheid hem afleidde. Daarom had hij haar vriendelijk gevraagd om hem een poosje met rust te laten. Maar ze week niet van zijn zijde. Op dat moment bleek ze niet langer de vrouw uit het dorp te zijn, maar was het Christa die naast hem stond. Hij voelde zich volstromen met geluk, maar toen hij haar hand wilde pakken, was ze ineens weg en schrok hij wakker.

De droom houdt hem de hele dag al bezig. Hij vraagt zich af of er een diepere betekenis achter zit. In ieder geval heeft het geluksgevoel hem niet verlaten. Dat is pure winst, en de foto's die hij vandaag heeft gemaakt, stemmen hem nog meer tot tevredenheid dan anders.

Hij hoopt echt dat Isabel binnenkort eens komt, zodat hij kan laten zien hoe goed het met hem gaat.

Een ongeluk komt nooit alleen.

De avond na Bianca's ruzie met Pleun staat Roy onverwachts op de stoep.

'Je denkt toch niet dat je Britt nu midden in de week ook nog meekrijgt?' begroet ze hem zonder van plan te zijn om hem binnen te laten.

'Daar gaat het niet om. Ik moet haar iets vertellen.'

Het valt haar nu op dat hij zenuwachtig is, en meteen begint de onrust zich ook in haar te roeren. 'En dat kan niet wachten tot het weekend?'

'Nee, echt niet. Anders had ik dat wel gedaan.'

Genadig stapt ze een eindje opzij. 'Kom dan maar binnen. Ik ben benieuwd wat er zo ernstig is dat je mijn huis zelfs door de week durft te betreden.'

Hij negeert haar spot. In de kamer blijft hij schutterig in de deuropening staan. Op Bianca's vraag of ze iets te drinken voor hem kan inschenken, antwoordt hij ontkennend.

Nadat ze zijn stem in de gang heeft herkend, komt Britt traag de trap af lopen, alsof ze ook onheil verwacht.

Roy probeert geruststellend te glimlachen, maar hij wil zelfs niet even gaan zitten. 'Het liefst wil ik even alleen met Britt zijn,' merkt hij voorzichtig op.

'Geen denken aan. Britt is net zo goed mijn dochter. Ik zorg zelfs het grootste deel van de tijd voor haar, dus als je haar iets te vertellen hebt, heb ik het recht om dat ook te horen. Brand maar los: ga je trouwen?'

Bianca is opnieuw in oorlogsstemming nadat ze de hele middag diep depressief in bed heeft gelegen.

'Goed dan. Ik vertrek morgen voor een jaar naar Amerika.'

Roy bestudeert zijn handen.

Er valt een stilte, en in die stilte beginnen de consequenties langzaam tot Bianca door te dringen.

'En onze vakantie dan?' hoort ze Britt zeggen.

'Volgend jaar weer, liefje. Of misschien kun je een keer naar Amerika komen. Ik moet er voor m'n werk naartoe en dit is een kans uit duizenden. Het zou heel onverstandig zijn om daar niets mee te doen, hoe zwaar het me ook valt om je zo lang te moeten missen.'

'Kom je na dat jaar dan echt weer terug?' Britts stem klinkt klein.

'Waarom niet?'

Haar woede is weer helemaal terug. Bianca weet dat hij liegt. Ze ziet het aan zijn gezicht. Hij komt niet terug. Hij gaat met zijn vriendin naar Amerika en blijft daar. Zij zit hier met Britt. Je zult zien dat hij ook geen alimentatie meer betaalt.

'Vuile leugenaar!' barst ze uit. 'Britt, hij komt nooit meer terug. Hij vertrekt met die sloerie van hem, en vertel me nou niet dat je geen vriendin hebt, want ik voel het. Een vrouw heeft dat in de gaten!'

'Wees nou eens een beetje redelijk, Bianca...'

'Je vertrekt morgen en daar kom je nu pas mee aan. Moet ik je dankbaar zijn dat je niet vanuit Amerika belde? Je zet me voor een voldongen feit, en ik kan voor Britt opdraaien. Dat kind had nooit geboren moeten worden. Ik had kunnen weten dat je niets om haar geeft. Jij denkt alleen maar aan jezelf!'

'Draaf nou niet...' Hij maakt zijn zin niet af. Verbouwereerd drukt hij zijn hand op de plek waar de hare zijn wang raakte. Nu roffelt ze met haar vuisten op zijn borst. Hij probeert haar af te weren.

'Mam, laat nou... niet doen, mama!' Britts smekende stem dringt niet tot haar door. Ze stompt en schopt Roy tot hij zich eindelijk los weet te maken en de deur uit vlucht.

Als ze eindelijk weer bij haar positieven komt, is ze alleen.

Ze heeft geen idee waar Britt is, of ze naar boven is gegaan of Roy naar buiten is gevolgd.

Het kan haar ook geen barst schelen.

'Nooit meer.' Die woorden blijven steeds maar door haar hoofd spelen.

Britt ligt languit op haar bed. Ze zou best heel hard willen huilen, maar het lukt haar niet. Met droge ogen staart ze naar het plafond, terwijl die twee woorden zich eindeloos blijven herhalen.

Ze verheugde zich zo op de komende vakantie. Ze vindt het altijd heerlijk om de weekenden bij haar vader door te brengen. Sterre, zijn nieuwe vriendin, is heel aardig en met z'n drieën doen ze leuke dingen. Tegenover haar moeder zwijgt ze daarover. Die blijft dan steeds maar nare dingen zeggen over haar vader en Sterre.

Dankzij die weekenden is haar leven soms nog een beetje leuk. Wat had ze die gemist toen ze een tijdje terug steeds maar niet doorgingen. En nu? Nooit meer...

Ze begrijpt wel waarom haar vader dat nu pas kwam vertellen. Dat ging niet om haar, maar om haar moeder. Ze zou er alles aan hebben gedaan om zijn vertrek te voorkomen.

Ze kent haar moeder beter dan wie ook.

Behalve Isabel, die kent haar moeder ook heel goed.

Isabel... Elke keer belooft ze dat ze weer eens zal komen, maar ze komt nooit. Toch voelt Britt juist nu behoefte om haar zus te bellen. Zij is de enige die haar kan begrijpen.

Ze toetst het nummer in, luistert gespannen naar het overgaan van de telefoon, en verwacht al half de voicemail te horen als ze ineens toch Isabel aan de lijn krijgt.

'Hé Topper!'

Het is lang geleden dat ze Isabel zo vrolijk hoorde.

Britt probeert ook direct weer opgewekt te klinken. 'Papa was hier net. Hij gaat naar Amerika.'

'Wat zeg je?' Op de achtergrond klinkt muziek. Een mannenstem zegt iets tegen Isabel. Britt hoort haar lachen. Ze herhaalt haar mededeling nog een keer en merkt nu dat de tranen over haar wangen lopen.

'Ach, meisje... Wat vind ik dat rot voor je. Weet je wat? Ik heb nu weinig tijd, maar ik bel binnenkort voor een afspraak. We kunnen wel iets leuks gaan doen. Heb jij iets wat je heel graag wilt? Denk er maar even rustig over na, dan hoor ik het tegen die tijd wel.'

Britt weet niets, maar Isabel neemt al haastig afscheid. 'Hou je taai, Toppertje. Je redt het wel!'

Het is de eerste keer dat Britt een hekel krijgt aan die benaming.

Als de verbinding allang is verbroken, huilt ze nog steeds. Ze kan er niet mee stoppen.

Nog meer onheil, schiet het door Bianca heen als ze de volgende morgen een onbekende man haar pad naar de voordeur op ziet lopen. Ze volgt haar eerste ingeving en verstopt zich achter de bank nog voordat hij heeft aangebeld. Met zware slagen klopt haar hart in de stilte. Nogmaals snerpt de bel door het huis, en na een tijd die een eeuwigheid lijkt te duren, hoort ze eindelijk hoe haar brievenbus kleppert en de voetstappen zich verwijderen. Nog steeds durft ze zich niet te verroeren.

Buiten start een auto. Ze wacht tot die is weggereden, blijft nog even liggen, maar waagt het dan om op te staan. Met zware benen loopt ze naar de gang. Haar handen trillen als ze de envelop oppakt met de in het oog springende letters: 'AMBTELIJK STUK, inhoud direct lezen' en de naam van de afzender: 'F.L. Rechterschot, Gerechtsdeurwaarder'.

Natuurlijk komt het niet onverwacht. Al maanden bedrijft ze struisvogelpolitiek door haar post linea recta in een la te gooien en er vervolgens niet meer naar te kijken. Haar schulden zijn enorm opgelopen. Ze heeft zichzelf steeds voorgehouden dat ze in nood wel bij Patrick kan aankloppen, maar ze weet nu wel dat die nood veel te hoog is geworden.

Ook deze envelop belandt in dezelfde la als al die andere, maar als ze even later weer in bed kruipt, verschijnen die grote letters steeds weer op haar netvlies.

Wanhoop wedijvert met haar chronische gevoel van leegte.

14

'Hebt u even tijd? Ik wil u graag iets vragen.'

Verwonderd blijft Dennis staan als 'de vrouw met de hond', zoals hij haar in gedachten noemt, hem aanspreekt in plaats van met een glimlach te groeten en voorbij te lopen. Ze steekt haar hand uit. 'Mijn naam is Theo Speijer', en als ze zijn verbaasde blik ziet: 'Eigenlijk heet ik Theodora, maar dat is zo'n mondvol. Iedereen noemt me Theo.'

Als ze lacht, ziet hij haar mooie, witte tanden. Hij heeft zich de afgelopen tijd weleens afgevraagd hoe oud ze ongeveer zou zijn. Nu schat hij haar toch op een jaar of tien jonger dan hijzelf is.

'We kunnen ook een kopje koffie bij mij thuis drinken. Ik wil namelijk graag een fotoreportage van mijn hond.'

Ze lacht als ze zijn ongelovige gezicht ziet. 'Het lijkt me goed om dat even rustig uit te leggen.'

Hij twijfelt nog.

'Een kopje koffie bij mij thuis schept verder geen verplichtingen, als dat je eh... u geruststelt.' Weer lacht ze haar overrompelende lach. 'Sorry, ik krijg de neiging om u te tutoyeren. Ik heb het gevoel dat we elkaar al langer kennen, maar dat komt waarschijnlijk doordat we elkaar zo vaak zijn tegengekomen.'

'Tutoyeren is geen enkel probleem,' reageert hij en besluit dan haar uitnodiging maar aan te nemen. Terwijl ze samen door het dorp lopen, vertelt zij over Sandy, haar golden retriever, die een hartafwijking blijkt te hebben.

Dennis kan zijn gedachten niet bij haar verhaal houden. Verward bedenkt hij hoe hij de afgelopen weken als vanzelfsprekend heeft aangenomen dat er ook een 'meneer met de hond' zou zijn. Dat is natuurlijk nog steeds mogelijk, maar de manier waarop Theo – die naam lijkt toch nergens op voor een vrouw – naar hem keek, doet nu ineens anders vermoeden. Misschien vergist hij zich en blijken er straks niet alleen een meneer met de hond, maar ook kinderen met de hond te bestaan. Het is natuurlijk helemaal niet gek dat ze hem vraagt om haar hond te fotograferen, want elke keer als ze hem tegenkomt, staat hij wel ergens plaatjes te schieten. Daar hoeft hij verder niets achter te zoeken. De wens is waarschijnlijk de vader van de gedachte. Laat hij zich maar niets inbeelden; deze prachtige vrouw ziet echt niets in de veel oudere, verlopen man die hij is.

'Het is dus best mogelijk dat Sandy nog een poos bij me is, maar het kan ook zijn dat ze er ineens tussenuit piept,' hoort hij haar nu zeggen. 'En daarom wil ik graag een heel mooie fotoserie van mijn hond.'

Ze draagt witte ballerina's zonder hak die nauwelijks geluid maken als ze loopt. Over haar dunne, groene jurk heeft ze een wit vestje aangetrokken, dat haar iets onschuldigs geeft. Haar donkere haren zijn lang, ze draagt ze in een exotische wrong. Grijze ogen met lange wimpers nemen hem onderzoekend op. 'Zie je het zitten? We moeten hier trouwens rechtsaf.'

Hij laaft zich aan haar opgewekte gebabbel, verwondert zich als ze hem haar huis wijst: een Zweedse woning van donker hout, omringd door bomen. Ineens weet hij zeker dat er ook een meneer bij haar hoort.

'Maak het jezelf gemakkelijk,' zegt ze binnen, en als hij om zich heen kijkt, begint hij toch weer te twijfelen. De antieke, grijsblauwe canapé valt als eerste op. Hij kan zich direct voorstellen hoe ze zich daar 's avonds op uitstrekt.

'Je lust toch wel koffie?' wil ze voor de zekerheid weten voordat ze naar de keuken gaat.

In de antieke rookstoel zou meneer Speijer 's avonds kunnen zitten als hij naar de televisie met het piepkleine beeldscherm kijkt. Laat hij daar nou maar gewoon op rekenen.

De afgelopen weken heeft hij in haar ook niet meer dan de 'mevrouw met de hond' gezien. Waarom zou dat dan nu ineens meer worden?

Hij is een eenzame dromer.

Sandy komt de kamer in. Stilletjes zoekt ze haar plekje in de mand op en even later hoort hij haar zachtjes snurken. Theo aait met haar vrije hand liefdevol over haar kop als ze koffie binnen heeft gebracht en naar de keuken terugloopt om iets voor erbij op te halen, maar Sandy slaapt rustig door.

Zelf vindt Dennis de naam Theodora toch veel beter bij de vrouw passen. Ze lacht naar hem als ze met twee schoteltjes met zelfgebakken cake terugkeert.

'Misschien vind je het wel vreselijk vrijpostig dat ik je heb uitgenodigd,' zegt ze. 'Maar elke keer als ik je tegenkwam, intrigeerde je me.' Ze gaat op het puntje van de canapé zitten. 'Je raakte me door je niet-aflatende belangstelling voor dat kerkje in ons dorp. Ik zag hoe je het steeds fotografeerde bij ander licht: ochtendlicht, het licht van twaalf uur op een zonnige dag, op dezelfde tijd, maar dan met bewolkt weer, en bij avondlicht.' Ze kijkt verontschuldigend en vervolgt: 'Ik dacht: deze man is geobsedeerd door dit kerkje. Ooit groeide hij op in een gezin waarin het geloof in God hem met de paplepel werd ingegoten. Hij heeft in de loop van zijn leven ergens dat geloof verloren, maar ontdekt nu dat het hem niet loslaat. Beter is misschien nog om te zeggen dat God hem niet loslaat.' Ze speelt met de ring om haar rechterringvinger en hij ontdekt dat het geen trouwring is. Ook aan haar andere hand draagt ze een ring die niets van een trouwring weg heeft.

'Misschien zit ik helemaal fout, en dan spijt me dat, maar ik heb het idee dat mijn gevoel klopt. Zelf ben ik namelijk ook zo opgevoed, maar onderweg ben ik het ergens kwijtgeraakt. Vrijheid, blijheid, dacht ik, maar zo veel jaren later moet ik toegeven dat het me geen vrijheid brengt. Ik loop elke zondagmorgen langs de kerk als de klokken beieren en in gedachten hoor ik ze roepen: "Kom dan! Kom dan!" Het is kinderlijk, natuurlijk, maar toch kan ik niet anders denken. Toen ik jou daar de eerste keer ontdekte, nog zonder fototoestel, was je heel ver weg. Je groette wel, maar het was alsof je me niet echt zag staan. In gedachten liep je de deur van die kerk binnen, ging je tussen die andere kerkgangers zitten en hoorde je bij hen. Ik voelde...' Ze kleurt. 'Het klinkt misschien verheven, maar zo is het niet bedoeld. Ik kan er geen ander woord voor bedenken. Het voelde als zielsverwantschap. Zonder dat we een woord met elkaar hadden gewisseld, wist ik dat we het goed met elkaar zouden kunnen vinden.'

Hij heeft geen idee hoe hij moet reageren.

Sinds Christa heeft hij niet meer aan een vrouw gedacht. En zielsverwantschap... is het dat wat hij ook bij Christa voelde? Nee, dat was anders. Christa trok hem uit de steile diepte van een immense put. Zij was zijn redder. Van zielsverwantschap was bij Bianca evenmin sprake. Integendeel: zij was juist degene die hem ín die put dumpte.

'Je vindt het raar, hè?' Ze heeft nog steeds die rode kleur.

'Nee, ik vind het niet raar, maar ik moet er even over nadenken. Ik denk dat het me wel aanspreekt.'

'Je bent toch niet getrouwd?' Ze lijkt van die gedachte te schrikken, alsof dat geen moment bij haar is opgekomen.

Ineens is het niet raar meer om haar te vertellen over zijn huwelijk met Bianca, zijn totale ineenstorting na de scheiding en de redding door Christa. Zij op haar beurt vertelt over het overlijden van de man van wie ze vanaf haar veertiende met hart en ziel hield, en hoe ze daarna zeven jaar lang het idee had dat er nooit meer ruimte voor een ander zou zijn. Ze zegt het niet, maar als ze naar hem kijkt, weet hij dat daar nu verandering in is gekomen.

Hij blijft nog lang zitten. De fotoreportage van Sandy komt aan de orde, maar hij loopt ook met haar mee naar haar atelier, en bekijkt haar schilderijen.

'Ik schilder,' zegt ze. 'Jij fotografeert. We kijken ongeveer met dezelfde blik naar de wereld om ons heen en willen het licht en de schoonheid van onze omgeving vastleggen.'

Langzaam begint hij te begrijpen wat zij bedoelt met ziels-verwantschap, want dat is wat hij nu voelt.

Waarom moet Patrick toch altijd alles zien? En waarom is ze zo stom geweest om weer te vergeten om die achterdeur op slot te draaien? Bianca kan zichzelf wel voor het hoofd slaan. Ze weet toch hoe vrijpostig hij is? In bed had ze het niet lang kunnen uithouden. Een inwendige, niet te trotseren drang heeft haar gedwongen om naar de badkamer te gaan. Maar net als ze een scheermesje heeft gepakt en zich op de grond laat zakken, hoort ze de achterdeur.

Het lukt haar maar net om het mesje te verdonkeremanen en wat water in haar gezicht te plenzen, voordat hij de badkamer binnen dendert alsof die plek in huis niet heel privé is.

'Was dat nou een deurwaarder die net bij jou aanbelde?' valt hij met de deur in huis, nadat hij een achterdochtige blik op haar heeft geworpen.

'Geen idee. Heeft er iemand bij me aangebeld? Dat heb ik helemaal gemist.'

'Lieg niet!'

Ze wrijft haar gezicht droog met een handdoek. In de spiegel ontdekt ze dat haar mascara is uitgelopen. Ze ziet bleek, vreemd bleek.

'Nou ja, zoiets stond wel op die envelop die hij in m'n bus gooide.'

'Waar heb je die envelop gelaten?'

'Wat doet dat er nou toe? En wat heb jij daarmee te maken?'

'Wat ik ermee te maken heb? Weet je wel hoeveel jij mij inmiddels verschuldigd bent?'

'Dat krijg je binnenkort echt terug.' Ze hoort zelf wel dat het niet overtuigend klinkt.

'Waar is die envelop? Kom met me mee naar beneden. We moeten erover praten.'

'Ik moet me een beetje optutten,' sputtert ze nog tegen, maar hij trapt er niet in.

Met tegenzin overhandigt ze hem beneden de grote envelop met de dreigende letters. Ze durft haast niet naar hem te kijken als hij de envelop openscheurt en ze verstijft als ze hem hoort vloeken.

'Het is nog erger dan ik dacht...' Hij kijkt zorgelijk. 'Bianca, je wordt gewoon je huis uit gezet.'

'Dat kan toch zomaar niet?'

'Nee, dat kan niet zomaar, maar wel als je maandenlang je huur niet betaalt en geen enkele moeite doet om een regeling met de woningbouwvereniging te treffen.' Hij houdt de brief omhoog. 'Dit komt niet zomaar uit de lucht vallen. Je moet aanmaningen hebben gekregen en brieven van incassobureaus. Echt, ze hebben je alle kans gegeven om te reageren, maar jij steekt je kop in het zand en denkt dat het er niet is als jij het niet ziet.'

'En wat nu?'

'Ja, wat denk je zelf?'

Voordat ze hem kan tegenhouden, trekt hij de la open waarin ze al haar post bewaart. 'Kijk nou toch.' Hij pakt er een stapel enveloppen uit. 'Je lijkt wel gek! Dit zal vast de laatste deurwaarder niet zijn. En ik zie je steeds weer in iets nieuws lopen alsof je geld genoeg hebt.'

'Daar heb jij niets mee te maken!' valt ze nog eens uit.

'En óf ik daar iets mee te maken heb. Ik krijg inmiddels ook bijna duizend euro van je. Hoe denk je dat te doen?' Zijn handen knellen zich rond haar onderarmen. Een kreet van pijn ontglipt haar.

'Zal ik de woningbouw bellen?' stelt ze kleintjes voor.

'Als je die brief had gelezen, wist je nu dat je naar de kantonrechter mag. Daar kun je je verhaal kwijt. Niet dat het nog veel zal uitmaken, want de woningbouwvereniging heeft alle recht om je uit huis te zetten en daar zal de rechter het helemaal mee eens zijn. Tjonge, Bianca, ik ben wel wat gewend, maar hier word zelfs ik beroerd van. Waar moet je heen? En erger: hoe moet dat met Britt?' Hij laat haar los. 'Ach, weet je wat? Waarom maak ik me hier druk over? Dit is jouw verantwoordelijkheid. Ik ga naar huis. Het is erg genoeg dat ik geen cent terug zal zien, en ik weiger me nog langer iets van jouw sores aan te trekken. Ik ben er helemaal klaar mee.'

De vloer golft. Ze moet zich aan de bank vasthouden om niet te vallen.

'Niet weggaan!' smeekt ze. 'Toe, Patrick, blijf bij me.' Ze wankelt op hem toe, duwt zich tegen hem aan, probeert haar lippen op de zijne te persen.

'Dat werkt niet meer!' Hij maakt zich los. 'Ga weg, mens! Denk je dat ik daar zin in heb? Denk je dat ik het fijn vind om naar die ellendige, kapotte armen te kijken? Ze zijn niet om aan te zien!'

'Patrick, toe...' Ze smeekt, ze gilt en ze huilt, maar hij keurt haar geen blik meer waardig. De deur valt met een klap achter hem dicht. Ze laat zich voorover op de bank vallen, drukt haar gezicht in de kussens en probeert daarmee haar wanhoop te smoren.

De wereld is leeg, koud en hardvochtig en heeft zich tegen haar gekeerd. Het is niet alleen Patrick die 'Ga weg, mens!' roept. Iedereen schreeuwt haar uiteindelijk hetzelfde toe.

Ze legt haar handen tegen haar oren, maar de stemmen gaan door.

Ze blijft ze horen tot ze uitgeput in slaap valt.

Kiki is jarig!

Britt mag mee de klassen rond en in de pauze vraagt Kiki of ze tussen de middag bij haar komt eten. 'Mijn moeder maakt voor mijn verjaardag de lekkerste worstenbroodjes van de wereld. Ze zei vanmorgen zelf dat ik jou mocht vragen.'

'Ik weet niet.'

Britt wil dolgraag, maar haar moeder zal dat zeker niet goedvinden. Hoe kan ze dat aan Kiki vertellen?

'Mijn moeder gaat jouw moeder dan wel bellen, zei ze. Want jouw moeder wil nooit dat je bij mij speelt, hè?' Kiki kijkt haar trouwhartig aan.

'Ja, ik weet het niet, hoor.' Haar moeder zal het ook niet leuk vinden om ineens Kiki's moeder aan de telefoon te krijgen.

'Brittje, please... doe het voor mij?' zegt Kiki nu met een grappig stemmetje, en ineens weet Britt dat het haar vandaag niet kan schelen wat haar moeder vindt. Ze heeft Kiki's broertjes al zo lang niet gezien, en ze verlangt ernaar om tussen hen in aan tafel te zitten en grapjes te maken.

'Super, super, super!' Kiki springt om Britt heen. 'Jij bent mijn superverjaardagscadeautje!'

Britt wordt er verlegen van, maar stiekem vindt ze het leuk.

Ergens in de verte klinkt een telefoon. Bianca komt langzaam overeind. Haar ongemakkelijke houding heeft haar een pijnlijke nek bezorgd, haar hoofd bonkt en haar ogen zijn dik van het huilen.

Gelukkig! Het ellendige gerinkel van de telefoon houdt ermee op. Hoe laat zou het inmiddels zijn?

Over twaalven al. Britt kan bijna thuiskomen.

Daar begint die afschuwelijke telefoon weer. Dat zal toch niet nog meer rampspoed betekenen? Ze leunt achterover, sluit haar opgezette ogen. Het geluid van de telefoon snerpt door haar hoofd. Ze houdt het niet meer uit!

Als ze zich meldt, hoort ze een vrouwenstem die zegt dat ze de moeder van Kiki is. Bianca heeft even geen idee wie Kiki moet zijn, maar dan begint het haar langzaam te dagen.

'Kiki is vandaag jarig, en ze wil heel graag dat Britt worstenbroodjes blijft eten,' meldt Kiki's moeder opgewekt. 'Britt is uit school met Kiki meegekomen. Het leek me goed om dat toch even te melden, zodat je weet waar ze zit.'

'Natuurlijk,' zegt Bianca keurig, en: 'Gefeliciteerd!' En natuurlijk heeft ze er ook geen bezwaar tegen als Britt vanmiddag uit school nog een poosje met Kiki naar huis gaat om gebak te eten. Ze mag gerust wat langer blijven, het is tenslotte vrijdag en morgen kan ze rustig aan doen. Ze wenst de moeder van Kiki een fijne dag en ze moet dan ook maar de felicitaties aan Kiki overbrengen.

Het gesprek heeft haar afgemat, en in het koor van stemmen hoort ze nu heel duidelijk ook die van Britt: 'Ga weg, mens!'

Isabel had deze vrijdagavond wel thuis willen blijven, maar ze staat toch midden op de dansvloer.

Vanmiddag had ze tijdens haar werk ineens gemerkt hoe moe ze was. Ze had haar avondjes uit altijd als ontspannen ervaren, maar sinds Mike is alles anders. Elk weekend is ze met hem onderweg, omdat hij her en der in het land moet optreden, en als hij dat niet hoeft, wil hijzelf ergens vermaakt worden. Door de week heeft hij dan ook nog vaak leuke plannen.

Vanavond hoefde de band van Mike niet op te treden. Ze had voorgesteld om bij haar thuis lekker te eten en dan een leuke dvd te gaan kijken. Mike wilde er niets van weten.

'Ben je gek? Morgenavond moeten we weer optreden. Ik wil nu even lekker ontspannen.' En dus staan ze ook deze avond weer samen midden op de dansvloer.

Stilletjes denkt ze dat hij vooral graag gezien wil worden. Vond ze zijn verregaande ijdelheid in het begin nog wel aandoenlijk, zo langzamerhand krijgt ze daar een heel ander gevoel bij. Maar ze geeft altijd aan zijn grillen toe, en als ze ergens zijn, speelt ze weer zijn mooie, vrolijke en spontane vriendin, net zoals hij haar graag ziet.

Steeds vaker dringt het tot haar door dat ze de rol die ze speelt niet veel langer meer kan volhouden. Bob duikt meer in haar gedachten op dan haar lief is. Ze herinnert zich hun laatste gesprek, waarin hij zei dat hij het gevoel had dat hij een stukje van haar niet kende en dat ze dat bewust voor hem achterhield. Bob had het daar moeilijk mee.

Mike kent haar feitelijk helemaal niet en hij maakt zich nergens zorgen over.

Isabel roept zichzelf tot de orde. Dit zijn geen gedachten voor een vrolijk stapavondje dat nog maar net is begonnen.

Vanuit haar ooghoek ziet ze een jonge vrouw naderen, die de aandacht van Mike probeert te trekken. Dat is geen enkel probleem. Hij lacht naar haar en het lukt de onbekende om zich tussen Mike en Isabel te wringen, alsof dat heel vanzelfsprekend is. Nog even verwacht Isabel dat Mike de vrouw zal vragen om aan de kant te gaan, maar dat blijkt niet in hem op te komen. Isabel danst er ineens als een vijfde rad aan de wagen bij. Het is net alsof er iets in haar knapt, iets wat nu al weken sluimert, maar wat ze tot nu toe wist te onderdrukken.

Ze staat stil. Anderen botsen tegen haar op, iemand stampt op haar voet, maar ze voelt de pijn niet.

In haar broekzak trilt haar mobiele telefoon. Het dringt niet tot haar door.

Waarom wilde Mike haar zo graag? Lauren had haar verzekerd dat hij over niets anders kon praten in de tijd dat ze nog met Bob was. Was ze voor hem toen een niet te veroveren vrouw, die hij toch koste wat kost wilde? En is die uitdaging nu voorbij?

Langzaam dringt ze zich tussen de dansende lichamen door. In haar broekzak trilt de telefoon weer. Nu voelt ze het, maar ze loopt verder naar de toiletten.

In de spiegel ziet ze haar bleke gezicht. Achter de witte deuren voeren twee vrouwen een interessant gesprek over de beste mascara.

Ze bekijkt het nummer op haar telefoon, ziet dat het Britt was die belde. Ze voelt een golf van radeloze paniek. Niet nu… ze kan het niet.

Natuurlijk belt ze toch terug. Met trillende handen wacht ze tot ze Britts stem hoort.

'Isa… mama…' Flarden van het relaas van haar zusje dringen tot haar door, terwijl er onophoudelijk vrouwen de lichte toiletruimte betreden, de witte deuren open- en dichtgaan, het gesprek over mascara voor de spiegels wordt voortgezet. Haar stem weerkaatst luid tegen de zachtgele wandtegels als ze haar vraag stelt: 'Is ze in levensgevaar?'

'Ik geloof van niet. We zijn in het ziekenhuis in Zwolle. Kom alsjeblieft, Isa…'

'Met wie ben je daar?'

'De buurman is bij me… Patrick…'

Nu pas merkt Isabel dat er meegeluisterd wordt. Het gesprek over mascara is gestokt, verstolen blikken worden in haar richting geworpen. Ze draait zich om.

'Britt, zorg dat je niet alleen met hem naar huis gaat,'zegt ze zacht maar dringend. 'Blijf daar. Ik kom eraan.'

'Ik zal het proberen…' Britts stem hapert. 'Kom je echt gauw, Isa?'

Ze belooft het. Natuurlijk belooft ze het. Maar als ze in de zaal terugkomt, ziet ze Mike nergens meer en ze zijn samen met zijn auto gekomen. Zonder er verder over na te denken, wringt ze zich weer tussen de mensenmenigte door in de richting van de dj die hoog boven de menigte uittorent. Het is alsof ze het niet zelf is, die de man toeschreeuwt dat ze hem nodig heeft omdat hij Mike moet omroepen.

Als in een droom hoort ze even later zijn naam door de zaal schallen. Ze ziet hem verbaasd naar haar toe komen. Tot haar opluchting heeft hij geen bezwaar om haar naar huis te brengen. 'Even Carlyn vertellen dat ik zo weer terugkom.'

Ze probeert er niet aan te denken waarom hij weer terug wil naar die onbekende vrouw. Ze negeert ook het feit dat zij zoals gebruikelijk vanavond zou rijden en hij dus heeft gedronken. Op dit moment doet niets er meer toe.

Pas later dringt het tot haar door dat Bob haar nooit zo zou hebben laten gaan. Maar dan rijdt ze al over de A50 in de richting van Zwolle.

15

'U bent familie?' Een jonge, vrouwelijke arts staat in de deuropening van de kamer waar Britt voor haar gevoel al een eeuwigheid samen met Patrick zit.
'Ik ben een buurman en een goede vriend.' Patrick staat op,
steekt zijn borst vooruit en legt weer die zware hand op Britts
schouder. Ze voelt hoe hij zachtjes knijpt. Ze huivert en staat
ook op. Het lukt haar om zich van zijn hand te ontdoen.
'Mijn zus komt zo,' zegt ze en ze hoopt dat de arts zal begrijpen dat ze beter kan wachten, maar de boodschap komt niet
over.
'Ik kan Isabel straks ook wel doorgeven wat u vertelt,' hoort
ze Patrick zeggen alsof Isabel en hij goede vrienden zijn. Op
zalvende toon vervolgt hij: 'Ik pas een beetje op hun moeder. U
begrijpt dat het niet makkelijk is, want inmiddels zult u genoeg
hebben gezien. Ik snap er niets van. Vanmorgen ben ik nog bij
haar geweest en waren er geen aanwijzingen dat ze vanavond
zoiets gruwelijks zou doen.'
'Soms doen mensen iets in een opwelling, al waag ik dat in
dit geval te betwijfelen.' De arts neemt hem onderzoekend op.
'Hier lijkt een langdurige psychiatrische geschiedenis achter te
zitten.'
'Ze wilde geen hulp,' zegt hij.
'Daar zal dan nu hopelijk verandering in komen.' Om de lippen van de arts speelt een smalle glimlach, maar haar houding
spreekt iets van haast uit. 'U kunt wel even bij haar kijken. Ze
slaapt nog, maar dan kan de dochter zich ook zelf overtuigen dat
het goed gaat met haar moeder. We schakelen altijd een psychiater in.' Ze dempt haar stem, alsof ze meent dat Britt het zo
niet zal horen. 'Vermoedelijk zal er een opname volgen op de
psychiatrische afdeling. Is er opvang voor de dochter?'
'Ik zorg zolang voor haar.' Patrick klinkt zelfbewust.
Opnieuw legt hij zijn hand op Britts schouder, ze voelt het ver-

trouwelijke kneepje dat haar elke keer de rillingen bezorgt.

'Mijn zus komt zo,' zegt ze nog eens. 'Ik wil met mijn zus mee.'

'Nou, dat kunt u dan overleggen. Zijn er verder nog vragen?' 'We kunnen straks wel naar huis?' informeert Patrick.

'Er bestaat geen levensgevaar meer. U kunt nog even wachten tot de andere dochter van mevrouw er is, maar u kunt ook rustig naar huis gaan.' Ze knikt Britt bemoedigend toe.

De hand van Patrick glijdt over Britts rug. 'Dan ga jij straks lekker met oom Patrick mee naar huis,' zegt hij als de arts buiten gehoorsafstand is. 'Die mooie, grote zus zal zich hier zelf wel redden.'

'Ik wil op Isabel wachten.'

'Laten we eerst maar bij je moeder gaan kijken, dan zien we daarna wel weer.'

Zijn stem duldt geen tegenspraak. Ze voelt de druk van zijn hand op haar rug die haar in de richting van de gang duwt.

Als Isabel nu maar gauw komt...

Waarom zijn ze op dit tijdstip met de weg bezig? Isabel staat boven op de rem en zet haar alarmlichten aan. Tergend langzaam zet de rij auto's zich opnieuw in beweging. Haar gedachten komen ook direct weer op gang.

Het is onvoorstelbaar hoeveel een mens tijdens een autorit kan bedenken. Eerst is er haar bezorgdheid om Britt, die met de buurman in het ziekenhuis is, en van die gedachte wordt ze misschien nog wel het meest nerveus. Stel je voor dat hij het voor elkaar krijgt om toch met Britt naar huis te gaan? En als hij haar daar iets aandoet? Ze slaat van pure frustratie op haar claxon. Als ze te laat is, vergeeft ze het zichzelf nooit.

Daarnaast is er haar moeder, die dit keer geen halfslachtige poging heeft ondernomen, maar voor wie het bijna te laat was geweest. Wat voelt ze daarbij? Herinneringen aan die keer dat zij een kind was dringen zich op. Ze weet nog hoe intens haar schrik was toen ze haar moeder vond, hoe dat afschuwelijke beeld zich op haar netvlies had gebrand. Ze kan het zelfs nu zo weer oproepen.

Opa en oma Dingemans waren destijds direct gekomen toen ze het slechte nieuws vernamen, en met elkaar wachtten ze in het ziekenhuis. Nadat het levensgevaar was geweken, gingen opa en oma met Isabel mee naar huis. Ze herinnert zich nog hoe ze zich schaamde, omdat ze zo van de rustige aanwezigheid van haar grootouders genoot dat ze stilletjes hoopte dat haar moeder nog lang in het ziekenhuis moest blijven. Voor haar gevoel kwam haar moeder veel te snel weer thuis.

Nooit had ze aan iemand durven vertellen dat ze toen teleurstelling in plaats van blijdschap voelde.

Wat zou Britt nu denken?

Weten opa en oma Dingemans er inmiddels ook al van? Zullen ze weer zo vanzelfsprekend de zorg voor Britt op zich nemen? Hun leeftijd begint een rol te spelen. De kans is groot dat ze het niet meer kunnen opbrengen. En wat dan?

Van de grootouders van vaderskant hoeft Britt zich niets voor te stellen. Die wilden destijds niets van haar moeder weten en de komst van Britt had daar niets aan veranderd. Roy zelf zit in Amerika.

Tijdens de regelmatige telefoongesprekken van de laatste tijd liet Britt zich er niet over uit wat ze daarvan vond.

Britt houdt de vuile was binnen, zoals zij zelf vroeger ook deed.

Isabel zucht. Haar vingers trommelen nerveus op het stuur. Kan ze nu nog langer Britts wens negeren?

Als er iemand weet hoe dit voelt, is zij het wel, en juist zij heeft zich de laatste tijd afzijdig gehouden. Verhuizen naar een andere stad leek de manier om afstand van haar verleden te nemen, maar nu moet ze toegeven dat het onmogelijk is om voor zichzelf te vluchten. En Britt is de schakel die haar met dat verleden blijft verbinden, of Isabel dat nu wil of niet.

Haar altijd aanwezige schuldgevoel betreft Britt.

Langzaam trekt de rij auto's voor haar op.

Als ze nu maar op tijd is voordat Patrick haar iets kan aandoen.

Zodra er weer gelegenheid is, geeft Isabel flink gas en passeert een hele rij auto's.

'Kom,' zegt Patrick. 'Je moeder slaapt heerlijk. We hebben haar vandaag met z'n tweeën gered.' Hij grijnst. 'Morgen gaan we weer kijken. Nu wil ik naar huis.'

'Ik kan wel alleen op Isabel wachten.'

'Geen sprake van. Ik laat je hier niet alleen. Je gaat met mij mee.'

'Opa en oma Dingemans moeten het weten.' Britt wil tijd winnen.

'Die bellen we morgenochtend wel.' Zijn hand knelt alweer om haar schouder.

Britt kijkt nog eens naar haar moeder. Haar haren liggen warrig op het kussen, maar ze lijkt heel rustig. Zo ziet ze er normaal nooit uit.

'Je zult voorlopig geen last meer van haar hebben,' hoort ze Patrick zeggen. 'Maar hoe het verder moet...'

Dat laatste snapt ze niet, maar ze durft er niet naar te vragen. Koortsachtig zoekt ze naar mogelijkheden om in het ziekenhuis te blijven. Het kan toch niet zo heel lang meer duren voordat Isabel hier is?

Op de gang groet Patrick heel vriendelijk een verpleegkundige. Britt overweegt om hulp te vragen, maar zijn hand klemt zich nog vaster om haar schouder en ze kan nog net een kreet van pijn binnenhouden. Ze lopen de toiletten voorbij en ineens staat ze stil.

'Ik moet hartstikke nodig plassen.'

'Dat doe je thuis maar. Kom op, loop nou door.'

Britt buigt voorover. 'Echt, ik moet zóóóó nodig. Anders plas

ik straks in m'n broek. Zóóóó nodig moet ik.'
'Nou, dat is wel echt heel erg nodig.' De verpleegkundige die Patrick even daarvoor nog zo vriendelijk groette, komt voorbij en schiet Britt in al haar onschuld te hulp. Ze maakt van de gelegenheid gebruik door de toiletruimte binnen te schieten en zich daar op een van de toiletten achter de deur te verschansen. Met trillende vingers doet ze de deur op slot en leunt even tegen de muur. Nu kan Patrick niet meer bij haar komen. Hier blijft ze totdat Isabel is verschenen.

Haar vingers werken tegen, maar het lukt haar toch om een sms'je voor Isabel te schrijven. *Zit op wc. Ik ga niet met Pettrik mee. Kom je gauw?*

Daarna doet ze het deksel van het toilet naar beneden en gaat erop zitten.

De deur van de toiletruimte gaat open. Zacht, maar dringend verzoekt Patrick haar nou eindelijk van die wc af te komen. Ze houdt zich doof.

Tot haar opluchting sluit hij de deur weer. Zijn voetstappen verwijderen zich. Ze blijft toch zitten waar ze zit.

Isabel heeft net haar auto op een parkeerterrein gestald als het melodietje op haar telefoontje aangeeft dat ze een bericht heeft ontvangen. Zenuwachtig graait ze in haar tas. Ze ontdekt het sms'je van Britt en voelt eindelijk iets van opluchting.

De parkeerplaats ligt een heel eind van de hoofdingang van het ziekenhuis, heeft ze ontdekt, en ze had net bedacht dat op dit moment werkelijk alles tegenwerkte. Nu typt ze met snelle vingers een bericht terug: *Ik ben er bijna.*

Het terrein rond het ziekenhuis lijkt op dit uur uitgestorven. Een taxi rijdt voorbij en in het licht van de lantaarns wordt Isabel vergezeld door haar eigen schaduw.

Vlak bij de ingang ziet ze ineens Patrick aankomen. Even overweegt ze om zich in een donkere hoek terug te trekken, zodat hij haar niet zal opmerken, maar die gedachte verwerpt ze meteen. Er moet een eind aan haar vluchten komen.

'Britt wacht met smart op je op de derde verdieping,' begroet hij haar zuurzoet. 'Vanavond kwam ze overstuur bij me omdat Bianca een poging tot... nou ja, je-weet-wel had gedaan, en nou laat ze me gewoon stikken. Stank voor dank, noemen ze dat. Ze lijkt op jullie moeder... Het gaat trouwens goed met Bianca, met jullie moeder, bedoel ik. Hopelijk krijgt ze hulp, want je zult nog wat tegenkomen, Isabel, je zult nog wat tegenkomen... Kijk maar eens in de onderste la van dat bergmeubel. En ik krijg ook nog centen van haar. Ik laat het er niet bij zitten.'

Voordat ze kan vragen wat hij daarmee bedoelt, loopt hij weer verder. Ze kijkt hem na, ziet zijn verongelijkte gestalte met opgetrokken schouders verdwijnen en vervolgt haar weg naar binnen. De enorme hal in zachte kleuren imponeert haar. Even is ze van slag. Alle spanning van de laatste tijd balt zich samen in haar maag. Ze herpakt zich, bekijkt de bordjes en probeert rustig na te denken. Een telefoontje naar Britt zal vast wonderen doen.

Ze hoort de immense opluchting in de stem van haar zusje als ze meldt dat ze in de hal staat en dat Patrick naar huis is gegaan. Met drie treden tegelijk beklimt ze even later de trappen naar de derde verdieping, waar Britt haar schuilplaats heeft verlaten en op haar wacht.

Als Isabel haar zusje omhelst, voelt ze voor het eerst weer de diepe verbondenheid die ze zo lang heeft gemist.

Op het moment dat Isabel samen met Britt naast het ziekenhuisbed staat, beginnen de gebeurtenissen pas echt tot haar door te dringen. Vanaf het telefoontje van Britt was het voor Isabel alleen van belang om zo snel mogelijk naar Zwolle te komen voordat Patrick haar zusje iets aan zou doen. Daarna was er de opluchting omdat Britt zich in de toiletten had verschanst en op die manier Patrick te slim af was. Nu ze geconfronteerd wordt met haar moeder in het ziekenhuisbed, maakt dat een stroom aan emoties in haar los. Het ontspannen slapende gezicht op het witte kussen lijkt dat van een vreemde. Isabel realiseert zich dat ze haar moeder zelden zo heeft gezien. Meestal oogde ze angstig, of boos, of nerveus. Door relatieve kleinigheden kon ze totaal van de kaart zijn.

Hoe is ze toch zo geworden? Kwam het door het onverwachte vertrek van haar vader, of lagen er toch andere gebeurtenissen aan ten grondslag?

Van haar moeder zelf had Isabel daar nooit werkelijk antwoord op gekregen. Als ze het waagde om ernaar te vragen, kreeg ze meestal een geïrriteerd en totaal onbevredigend antwoord.

Ze kende haar moeder niet.

Beter gezegd: haar moeder liet zich niet kennen. Haar diepste gevoelens hield ze verborgen onder een laag van soms extreme vrolijkheid, maar vaker onder woede, die zich uitte in harde woorden en verwijten.

Wat was er die laatste momenten door haar heen gegaan voordat ze besloot om dit keer niet oppervlakkig te snijden?

Zou ze nog aan haar dochters hebben gedacht?

Isabel heeft een arm om Britts smalle, onzekere schouders gelegd en drukt haar iets steviger tegen zich aan. Zou haar moeder ooit rekening houden met Britt of met haar, of kan ze niet anders dan aan zichzelf denken?

Vroeger hoopte Isabel op een 'normale' moeder. Onderweg van school naar huis droomde ze dat haar moeder met een kopje thee op haar zou wachten, benieuwd naar haar verhalen. Ze vroeg zich dan af of ze wel zou zeggen dat ze gepest werd op school, maar besloot standaard dat ze dat beter kon verzwijgen. Het zou haar moeder verdriet doen. Beter kon ze vertellen over haar goede cijfer voor tekenen en dat juf had gezegd dat ze wel een kunstenares kon worden.

Haar dromen werden zelden werkelijkheid. Nooit kwam haar moeder te weten dat ze gepest werd, maar ze hoorde evenmin iets over goede cijfers. Het leek haar niet te interesseren.

Isabels moment van thuiskomst werd gekenmerkt door aftasten. In wat voor humeur was haar moeder? Was ze verdrietig? Of boos? Of juist uitzinnig vrolijk en gezellig? In dat laatste geval zat ze wel met de thee klaar, maar ze vertelde zelf verhalen en lachte er zelf ook uitbundig om. Isabel werd geacht haar mond te houden.

Vanuit haar nek kruipt hoofdpijn omhoog.

Ze voelt tranen achter haar oogleden branden, die ze dapper probeert terug te dringen.

Britt kijkt haar ongerust aan. Isabel glimlacht geruststellend naar haar zusje en knijpt zachtjes in haar bovenarm. 'Zullen we nu maar naar huis gaan?'

Stil nemen ze afscheid van hun slapende moeder en als ze even later door de verlaten gang van het ziekenhuis lopen, weet Isabel dat er in al die jaren nog niets is veranderd. Ook nu hoopt ze dat deze nacht het begin zal zijn van iets beters. Nog steeds hoopt ze op een 'normale' moeder, zoals de moeder van Lauren en de moeder van Bob.

In haar woont nog altijd dat kleine meisje vol hoop.

Misschien zal die hoop haar wel nooit verlaten, tegen beter weten in.

Twee uur later liggen ze uitgeteld in het tweepersoonsbed van Bianca dat ze met vereende krachten fris hebben opgemaakt.

'Waarom heb je Kiki's moeder niet gebeld toen je ontdekte wat mama had gedaan?' wil Isabel weten. 'Daar was je toch de hele dag geweest?'

'Het is misschien wel gek, maar ik dacht... Kiki was jarig en ik had het er hartstikke fijn gehad. Ik kon toch niet alles verpesten? En ik dacht dat ik in het ziekenhuis jou gauw zou kunnen bellen, maar Patrick zei steeds dat ik even moest wachten. Het was allemaal zo gek, en nou nog... ik zie steeds dat bloed...'

Isabel schuift naar haar zusje toe en houdt haar vast. Bij thuiskomst had ze de badkamer schoongemaakt en ze was geschrokken van het bloed op de witte tegels. Britt had niet veel later moeten thuiskomen.

'Je was op tijd,' zegt ze zacht. 'En Patrick was er sneller dan Kiki's moeder waarschijnlijk was geweest. Je hebt het goed gedaan. Laten we maar gaan slapen. Morgen is er weer een dag.'

'Ga je morgen weer terug?'

'Nee, ik blijf bij je.' Isabels handen strelen Britts haren. 'Het is zaterdag, dus we hebben even niets met school en werk te maken. Maandag zien we wel verder. Vanaf nu gaan we het samen redden. Samen zijn we hartstikke sterk.'

Ze moet aan haar eigen woorden denken als de ademhaling van Britt allang rustig is en zij nog klaarwakker in het donker ligt te staren. Alle gebeurtenissen van deze avond trekken aan haar voorbij. Eerst Mike, die haar diep kwetste door toe te laten dat die andere vrouw zich tussen hen drong. Sterker nog: hij zat gezellig met haar een drankje te drinken toen zij hem door de dj liet omroepen. Hij ging weer naar die vrouw terug nadat hij haar bij haar huis had afgezet. Daarna had ze niets meer van hem gehoord. Blijkbaar is zijn interesse in haar voorbij.

Voorzichtig laat ze Britt los. Ze gaat op haar rug liggen en sluit haar ogen.

Zo kan het dus gaan in het leven.

Zo was het ook in het leven van haar moeder gegaan. Hoe vaak had Isabel niet uit haar mond gehoord dat ze werd afgedankt door Dennis en later door Roy? Het drong niet tot haar door dat ze daar ook zelf schuld aan had. Misschien wilde ze het niet tot zich laten doordringen, of kon ze het niet?

Was ze door haar psychische problemen niet in staat te doorgronden wat Isabel nu wel heel duidelijk bij zichzelf ziet? Mike en zij passen niet bij elkaar. Vanaf het begin heeft ze dat geweten. Ze heeft Mike gebruikt om zich te laven aan een leven dat niet bij haar past. Ook dat hoort bij haar vlucht van de laatste jaren.

Als vanzelf komen haar gedachten weer bij Bob uit, die ze op afstand wilde houden. Bij Bob kon ze niet meer vluchten, maar moest ze haar verleden onder ogen zien. Ze is er doodsbang voor, want dat levert voor haar ook de vraag op of zij wel in staat is om een normale relatie op te bouwen.

Lukt het haar om het beter te doen dan haar moeder?

Naast haar zucht Britt heel diep.

Nieuwe vragen dringen zich aan Isabel op. Ze heeft Britt beloofd dat ze samen zullen blijven, maar hoe kan ze die belofte waarmaken?

Moet ze Britt meenemen als ze teruggaat naar Arnhem? Maar dan moet ze daar ook naar school, en na schooltijd is er niemand om haar op te vangen. Isabel zal gewoon moeten werken. Moet ze denken aan naschoolse opvang? En wat gaat dat dan kosten?

Of moet ze heel anders denken en is het veel beter als Britt in haar vertrouwde omgeving blijft, en zij weer verhuist? Freek ziet haar aankomen. Hij is een prima baas, maar hij zal haar terecht aan haar opzegtermijn helpen herinneren. Bovendien kan ze niet zonder inkomen.

Gedachten duizelen door haar hoofd, en ze draait zich nog eens voorzichtig om. Misschien moet ze maar proberen te slapen, want er is op dit moment niets wat ze kan doen. Maandagmorgen moet ze de school van Britt bellen, en Dennis en opa en oma Dingemans moeten ook zo snel mogelijk weten wat er is gebeurd. Misschien komen ze wel. Dat zou fijn zijn. Het is veel te lang geleden dat ze haar grootouders heeft gezien, en het zijn zulke lieve mensen. Logeren bij opa en oma Dingemans voelde als ondergedompeld worden in een bad van liefde.

Vreemd toch, dat haar moeder dat niet heeft meegekregen. Zou er iets veranderen nu haar moeder hulp krijgt? Stel je voor dat ze die hulp afwijst?

Volgens de verpleegkundige die Isabel vannacht had gesproken, leek haar moeder daarin welwillend te zijn. Wat een mooi woord, had ze toen nog gedacht.

Morgen kan ze vragen of opa en oma komen, of Dennis. Hoe vaak had Dennis nu al gevraagd of ze een keer in zijn nieuwe huis kwam kijken?

Hoe vaak heeft ze dat inmiddels beloofd?

Morgen gaat ze spijkers met koppen slaan, neemt ze zich nu voor. Morgen...

Met die gedachte slaapt ze uiteindelijk toch in, en ze droomt van een huisje aan zee. In het gouden licht van de ondergaande zon staat ze met Britt op het strand. Ze zeggen niets tegen elkaar. Heel stil staan ze over zee uit te kijken, en Isabel voelt hoe ze langzaam maar zeker wordt gevuld met een intens geluksgevoel.

16

Pas de volgende morgen na het ontbijt schieten Isabel de woorden van Patrick over de schuld van haar moeder en de la van het bergmeubel weer te binnen. Britt is naar boven gegaan, nadat ze samen een paar boterhammen aan de eettafel hebben gegeten. Als Isabel in de la graait, slaat de schrik haar om het hart. De grote envelop van de deurwaarder grijnst haar tegemoet, en van de inhoud krijgt ze hartkloppingen. Hoe heeft haar moeder het zo ver kunnen laten komen?

Ze legt de envelop terug en denkt koortsachtig na. Haar moeder heeft blijkbaar nooit contact opgenomen met de woningbouwvereniging. Zou er nog iets aan te doen zijn als zij maandag opbelt en de situatie uitlegt?

Het kan toch niet zo zijn dat haar moeder geen huis meer heeft als ze over een poosje uit het ziekenhuis wordt ontslagen?

Maar al die andere aanmaningen dan?

Vertwijfeld slaat ze haar handen voor haar gezicht. Nu wordt haar wel duidelijk dat haar moeder gisteren echt ten einde raad is geweest. Eerder waren haar onhandige pogingen tot zelfdoding manieren om aandacht te vragen, maar dit keer heeft ze werkelijk geen andere uitweg meer gezien.

Maar dit is ook te groot voor haar. Zonder nog een moment te aarzelen, toetst ze het nummer van Dennis in.

'Wat een heftig verhaal,' zegt Theo een poosje later. Ze kijkt Dennis bezorgd aan. Tijdens het telefoongesprek met Isabel heeft hij beloofd te komen, maar eerst wilde hij het er met Theo over hebben. Dat is een nieuwe ervaring voor hem. In de paar dagen dat ze nu echt contact hebben, heeft hij Sandy met zijn fototoestel vereeuwigd en hebben hun gesprekken zich verdiept. Theo keek er niet van op toen hij vanmorgen belde met het verzoek of hij even langs mocht komen omdat hij iets met haar wilde bespreken.

'En waar is de vader van Britt?' informeert ze nu.

Hij haalt zijn schouders op. 'Roy is tien jaar jonger dan Bianca. Hij was te jong voor het vaderschap. Ik heb het idee dat hij Britt op het ogenblik weinig ziet, maar dat weet ik niet. Als Isabel en ik elkaar spreken, komen dit soort dingen niet vaak aan de orde.'

'Je moet er nu natuurlijk naartoe,' beslist Theo. 'Isabel is je dochter en ik kan me voorstellen dat ze tamelijk wanhopig is. Alleen die poging tot zelfdoding van haar moeder is al genoeg om totaal van slag te raken. Zij heeft daarnaast de zorg voor haar zusje en ze voelt zich verantwoordelijk voor het financiële wanbeheer van haar moeder. Dat kan geen mens aan.'

'Ik kan haar niets bieden...'

'Nu onderschat je jezelf.' Ze glimlacht flauwtjes. 'Nee, je zult waarschijnlijk die huisuitzetting niet kunnen voorkomen. Je kunt geen berg geld uit een hoge hoed toveren en je kunt het verdriet van Isabel niet wegnemen, maar je bent een uitstekende luisteraar. Ze kan haar verhaal bij je kwijt.'

'Maar Isabel heeft een oplossing nodig.'

'Die is er niet,' meent Theo beslist. 'Ik denk onderwijl natuurlijk na. Jouw dochters...'

'Alleen Isabel is mijn...'

'Dat is me bekend, maar voor het gemak...'

'Ja, natuurlijk. Neem me niet kwalijk...' Hij voelt zich onhandig en ook redelijk vertwijfeld.

Ze staat op en gaat naast hem zitten. Haar hand rust op zijn bovenbeen. 'Maak het jezelf toch niet zo moeilijk, Dennis. Laten we de feiten nu eens benoemen. Jouw ex-vrouw zit tot over haar oren in de schuld. Dat heeft niet alleen consequenties voor haar, maar ook voor haar kinderen die daar niets mee te maken hebben. Zij moeten er niet bij zijn als het huis wordt leeggehaald. Ik stel dus voor dat ze tijdelijk bij jou logeren, en samen met hen kun je misschien het een en ander aan meubilair opslaan.'

'Waar?'

'Niet zo snel! Ik ben nog niet uitgesproken. Bij mijn woning hoort een garage. Mijn auto staat altijd voor het huis, dus in die garage heb ik ruimte. Wat mij betreft, kunnen jullie die gebruiken. Dat is wat jij op dit moment concreet kunt doen.'

'Maar waar moet Bianca dan straks heen?'

'Laat dat los. Dat is niet jouw probleem, niet dat van je dochters, maar van die vrouw zelf. Ze moet zich laten opnemen. Als ze dat weigert, moeten jij en haar kinderen zich van haar distantiëren. Dan is ze het niet waard dat iemand zich nog voor haar inzet.'

Haar praktische benadering maakt hem rustig. 'Ben jij altijd zo koelbloedig?' wil hij weten.

'Och heden, nee. Maar ik heb geleerd dat je onderscheid moet maken tussen de problemen die je kunt oplossen en die waarmee je niets kunt. In de moeilijkste situaties is dat het beste uitgangspunt en dat heeft me altijd prima geholpen.' Ze legt haar hoofd tegen zijn arm. 'Weet je wel hoe heerlijk het is om iets voor jou te kunnen doen?'

Het maakt hem verlegen. Nog steeds kan hij zich niet voorstellen dat deze vrouw in hem geïnteresseerd is.

'Ik ga maar,' zegt hij onbeholpen.

Als ze al teleurgesteld is, laat ze daar niets van merken, maar voordat hij weggaat, kust ze hem hartelijk op de wang. 'Geloof jij ook dat God soms deuren sluit, maar altijd weer een venster opent? Het is misschien geen bijster originele gedachte, maar ik ervaar het als waar.'

'Misschien wel…' Hij denkt even na. 'Ja, ik denk wel dat je gelijk hebt.'

Als hij in zijn oude autootje stapt om naar Isabel te rijden, staat Theo in de deuropening van haar huis. Haar strakke, rode broek steekt helder af tegen het donkere hout. Ze zwaait als hij wegrijdt, en haar beeld blijft hem de hele weg bij.

Theo… Zou zij zijn venster naar een hoopvolle toekomst zijn?

'Je hebt een complexe problematiek,' zegt de oudere man aan het bed van Bianca, die zich net als psychiater Geurt Hansen heeft voorgesteld. Terwijl hij dit zegt, kijkt hij Bianca zorgelijk aan en krabt met zijn wijsvinger aan de zijkant van zijn dikke, grijzende haardos. 'Klopt het dat je niet eerder hulp hebt gekregen?'

Ze kijkt de andere kant op. Vanmorgen had ze aangegeven dat ze geen bezoek wilde ontvangen. 'Van helemaal niemand,' had ze er uitdrukkelijk aan toegevoegd. Wat doet die Hansen dan nu aan haar bed?

'Mevrouw Dingemans, ik begrijp dat u momenteel weinig behoefte heeft aan een gesprek met mij. Ik wil u wel duidelijk maken dat ik hier ben om u te helpen. Ik zit dus niet aan uw bed omdat ik dat zo leuk vind. U moet zelf inzien dat u hulp nodig hebt. Twee mislukte huwelijken, automutilatie, een poging tot zelfdoding, en ik heb begrepen dat dit niet de eerste keer was.'

Ze wordt haar huis uitgezet.

Vanaf het moment dat ze weer bijkwam in het ziekenhuisbed heeft die gedachte als een onrustige vlinder door haar hoofd gefladderd. Misschien duurt het nog een week, of twee weken, met een beetje geluk nog iets langer, maar de dag komt dat ze echt met al haar spullen en Britt op straat komt te staan.

Hoe moet het dan verder met haar?

En hoe gaat het nu met Britt?

Ze wil het eigenlijk niet weten. Ze wil haar kop in het zand steken, zoals ze al die jaren heeft gedaan.

Isabel is bij haar zusje, had ze van de verpleegkundige begrepen. Isabel met haar laatdunkende blik. Tijdens haar laatste bezoek had ze wel gezien hoe haar oudste dochter naar haar keek, al deed ze nog zo haar best om het gezellig te maken. In Isabels ogen deed ze niet gauw iets goed. De laatste keer was ze met Bob, bewust ongehuwde bonenstaak...

'Ik wil die medicijnen niet,' reageert ze nauwelijks hoorbaar.

Haar oogleden voelen zwaar. Ze zou haar ogen willen sluiten en voor altijd willen slapen. Waarom is ze nu toch weer wakker geworden?

'Wat zegt u?' Geurt Hansen buigt zich wat voorover. Hij heeft doordringende, bruine ogen. Als ze haar opmerking herhaalt, verzekert hij haar dat alles in overleg gebeurt.

'Het spijt me dat u eerder zo'n slechte ervaring hebt gehad. Ik doe het anders. Samen gaan we uitzoeken wat er met u aan de hand is en daarna kijken we welke therapie en eventuele medicijnen u nodig hebt, zodat uw leven weer wat prettiger wordt.'

Met medicijnen of therapie worden haar schulden niet betaald, maar ze heeft geen keuze. Als ze terugkijkt op haar leven ziet ze één grote puinhoop. Aan de toekomst durft ze niet eens te dénken. Zou het mogelijk zijn om haar leven prettiger te maken? Het lijkt onvoorstelbaar.

Ze kijkt op, in die warme, donkere ogen. 'Het is goed,' zegt ze. 'Ik wil aan mijn problemen werken.'

'Dan ga ik uw opname op mijn afdeling regelen.'

Zichtbaar verheugd verlaat hij haar kamer na een handdruk, en bijna heeft ze alweer spijt, wil ze hem terugroepen, maar als ze haar mond opent komt er geen geluid.

Na een hele dag van verhuizen is Isabel doodmoe, maar ook opgelucht. Via Theo hadden ze een busje kunnen lenen, waarmee ze een groot deel van de dag spullen van haar moeder en Britt naar de garage van Theo hadden overgebracht.

Theo... een vrouw die voor haar uit de lucht kwam vallen, maar die bij haar vader veel losmaakte. Ze is aardig, dat is een feit, en met een beetje fantasie vindt Isabel dat ze wel een beetje op de moeder van Lauren lijkt. Tussendoor hadden ze bij haar koffie en thee gedronken en tegen lunchtijd waren er broodjes. Theo drong zich niet op. Aan het einde van de middag waren er pizza's en daarna had Dennis aan Theo gevraagd of ze met hen mee naar zijn huisje ging. Vriendelijk maar beslist had Theo geweigerd, omdat ze vond dat ze deze avond beter met z'n drieën konden doorbrengen.

De komende dagen slapen Isabel en Britt ietwat oncomfortabel op een van Theo geleend tweepersoonsluchtbed in het huisje van Dennis. Er zal nog zo veel op hen afkomen, er is nog zo veel te regelen en er is zo veel onzekerheid, maar Isabel heeft niet langer het gevoel dat ze er alleen voor staat. Opa en oma Dingemans hebben aangekondigd morgen te willen komen, of hun dochter hen nu wel of niet wil zien. 'Dan komen we wel voor jou en Britt,' had opa aan de telefoon gezegd.

Isabel overweegt om haar grootouders naar het ziekenhuis te vergezellen, zodat ze ook even met haar moeder kan praten. Terwijl ze vandaag zo druk in de weer was met haar vertrouwde spullen leek het alsof ze haar moeder beter leerde kennen. Stoel na stoel was in de garage van Theo beland. Maar ook fotoboeken vol herinneringen, plastic tassen met kleding, en een kistje waarin haar moeder haar sieraden bewaarde. Isabel was ontroerd toen ze een map ontdekte met tekeningen en andere persoonlijke werkstukken van Britt en haarzelf, door haar moeder zorgvuldig bewaard. Op de map waren babyfoto's van Britt en Isabel geplakt, daaronder stonden hun namen in sierlijke letters geschreven. In diezelfde map zaten een paar brieven die haar moeder ooit van Dennis had ontvangen. Isabel legde de enveloppen ongeopend weg. Soms voelde het ongemakkelijk om tussen al die spullen van haar moeder te rommelen, alsof ze inbrak in haar persoonlijke leven.

Er was heel veel dat in het huis moest achterblijven, maar de belangrijkste zaken zouden bij ontruiming niet op straat belanden. Naarmate de dag vorderde, ontdekte Isabel dat het haar lukte om met mildere ogen naar haar moeder te kijken. Vandaag leek haar verhaal op een andere wijze te worden verteld. Door de bewaarde tekeningen ontdekte Isabel dat ze wel degelijk iets voorstelde in het leven van de vrouw die haar zo vaak had toegeschreeuwd dat ze beter niet geboren had kunnen worden. Op de voorkant van de map waren hun namen duidelijk met liefde geschreven. Het was alsof die liefde de bitterheid in Isabels hart lamlegde.

Hoop nam steeds meer plaats in.

'En hoe nu verder?' vraagt Dennis als Britt naar bed is vertrokken en ze samen een glas cola drinken. 'Vandaag heb ik erover nagedacht. Denk je dat opa en oma Dingemans Britt tijdelijk willen opnemen?'

Isabel haalt haar schouders op. 'Ze zijn niet zo heel jong meer, maar we kunnen het morgen vragen.'

'Je zit dan natuurlijk met het feit dat Britt wel naar school moet.' Hij overweegt zijn woorden zorgvuldig. 'Britt zei me vandaag dat ze graag bij jou wil wonen. Ik heb haar gezegd dat daar geen sprake van kan zijn.'

'Ze heeft mij dat ook al eens gevraagd toen we samen op vakantie waren geweest. Ik heb haar verzoek meteen afgewimpeld. Vandaag hield het me weer erg bezig. Ik heb haar gisteravond beloofd dat we het vanaf nu samen gaan redden, maar ik weet niet hoe ik die belofte moet waarmaken. De laatste tijd heb ik haar vreselijk in de steek gelaten uit angst om zelf weer met die ellende van thuis geconfronteerd te worden. Ik wilde het eindelijk achter me laten, maar het lukte niet. Britt zei het niet ronduit, maar ik begreep dat die buurman Patrick haar angst aanjoeg. Ik denk dat ze dat goed aanvoelde. Die man is niet te vertrouwen. Met die gedachten in m'n achterhoofd heb ik me doorlopend zorgen over haar gemaakt. Ik heb me geschaamd en schuldig gevoeld, maar dat was allemaal niet genoeg om me actief om haar te bekommeren.'

'Angst verlamt,' weet hij. 'Je bent bang om je problemen onder ogen te zien. Voor mij is dat herkenbaar. Vanuit die angst bleef ik op afstand.'

'Net als ik.'

'Ja, net als jij. Maar we zijn hier nu allebei en we kunnen samen kijken naar de toekomst en hoe die eruit moet zien. Het is zeker dat jij niet zomaar je baan kunt opzeggen om terug naar de Noordoostpolder te komen. Van de wind kun je niet leven en woonruimte is hier ook een probleem. Misschien moeten we dit even laten rusten en er morgen met opa en oma over doorpraten.'

Zijn glas is leeg. Hij staat op om nog eens in te schenken.

'Wat zegt je vriendin ervan dat je zo halsoverkop naar de polder bent vertrokken?' informeert hij schijnbaar achteloos.

'Lauren weet nog van niets,' moet Isabel bekennen. 'Vandaag heeft ze me met sms'jes bestookt, maar ik had geen tijd.'

'Nu heb je toch tijd?'

'Ik ben moe.'

Dennis zwijgt en neemt een slok. Ze ziet hoe hij de cola aandachtig proeft alsof het wijn is.

'Lauren heeft recht op eerlijkheid,' zegt hij dan traag. 'Bel haar, Isa... Ik ga nog een rondje lopen om een beetje van de dag bij te komen.'

Ze blijft zitten. Hij steekt zijn hand op als hij langs het raam loopt, voordat het bos hem opslokt. Avondlicht geeft de bomen een koperen gloed.

Aarzelend toetst ze het nummer van Lauren in.

Als vanzelf loopt Dennis weer in de richting van het dorp. Zijn hoofd tolt van alle gesprekken die hij de afgelopen dag heeft gevoerd. Na zo veel jaren alleen op een woonark te hebben geleefd, is de overgang erg groot. Toch hoort hij zichzelf zachtjes neuriën en hij realiseert zich dat hij, ondanks alles, gelukkig is. Het is een gevoel waarvoor hij zich in de gegeven omstandigheden bijna geneert, maar hij weet er geen ander woord voor te bedenken. Vandaag maakte hij deel uit van een geheel dat erg veel weghad van een gewoon gezin: vader, moeder en twee dochters. De hele dag heeft hij dat zo ervaren, ongeacht de achterliggende problemen die de aanleiding van deze dag waren. Dat Isabel hem vanmorgen belde, deed hem goed. Alle jaren van afstand hebben niet kunnen voorkomen dat ze hem op dat moment beschouwde als de vader die ze nodig had. Britt kende hij nauwelijks, maar vandaag heeft ze een paar keer hartelijk om zijn grapjes gelachen en langzaam kroop ze uit haar schulp. Misschien kan hij er de komende tijd ook voor haar zijn. Britt mist haar vader, zoals ook Isabel hem heeft gemist.

Hij loopt inmiddels door het dorp, waar de kerk rood kleurt in het licht van de ondergaande zon. Op de klok ziet hij dat dit de tijd is voor de avondwandeling van Theo met Sandy. Hij weet ook best dat hij met opzet voor deze route en tijd heeft gekozen. In de verte ziet hij hen al komen. Sandy trekt aan de riem zodra ze hem in de gaten heeft. Theo laat de hond los, die blaffend en jankend van blijdschap op hem af stuift.

Ineens verlegen staat hij tegenover Theo. Hij voelt haar warme hand op zijn arm, haar ogen staan warm en uitnodigend. 'Dank je wel voor alles.' Zijn stem klinkt schor.

'Daar hoef je me niet voor te bedanken. Zulke dingen doe je voor iemand die je heeft laten ontdekken dat je nog zo veel liefde bezit die je dolgraag met hem wilt delen.'

'Ik hou van je.' Hij voelt zich weer heel jong en onhandig.

'Dat bedoelde ik eigenlijk ook.' Theo lacht zachtjes, legt haar hand tegen zijn wang en kust hem liefdevol op zijn mond.

Sandy draait ongedurig om hen heen. Haar riem sleept nog steeds achter haar aan. Met haar snuit drukt ze tegen Theo's been en jankt zachtjes, maar dat blijkt niet voldoende om de aandacht van haar baas te trekken. Dan legt ze zich er maar bij neer dat er op dit moment kennelijk een belangrijk oponthoud plaatsvindt en gaat rustig naast het paar zitten wachten tot de wandeling vervolgd zal worden.

'Hoe komt het dat het jou toch altijd weer lukt om mij zo ongerust te maken?' Lauren heeft de telefoon bijna meteen opgenomen. Haar stem klinkt opgelucht en verontwaardigd tegelijk.

'Ik moet je wat vertellen: mijn moeder ligt in het ziekenhuis,' valt Isabel met de deur in huis.

Laurens verontwaardiging ebt weg en ze blijft stil tot Isabel is uitgepraat.

'Vanmorgen werd ik door Mike gebeld,' zegt ze dan rustig. 'Ik wist er dus al iets van. Mike beweerde dat hij ook bezorgd was, maar ik heb hem ervan langs gegeven omdat hij jou alleen naar Zwolle heeft laten gaan. Volgens hem is er trouwens niets aan de hand met die Carlyn. Hij zal je er binnenkort over bellen. Maar wat vind je ervan als ik morgen naar je toe kom?'

'Mijn opa en oma komen, en ik denk dat ik nog wel even bij mijn moeder op bezoek ga,' aarzelt Isabel.

'Dan maak ik er toch een avondbezoek van. Kun je me meteen op de hoogte stellen van de laatste ontwikkelingen.'

'Dat zou ik super vinden… Meer dan super eigenlijk, ik heb er geen woorden voor.'

'Hou maar op.' Lauren lacht. 'Je ziet me morgen. Weet je wel dat ik nog nooit in de polder ben geweest?'

Lauren ratelt nog even verder en neemt met een opgewekt 'Tot morgenavond dan!' afscheid.

Isabel gaat voor het raam staan. De zon is achter de bomen verdwenen, avondlicht maakt plaats voor schemer. Een merel hipt door een tapijt van dode bladeren. Lauren is een echte vriendin. Ze laat zich niet afschrikken door Isabels achtergrond. Isabel is er nu van overtuigd dat die ook niet zal sneuvelen als ze uiteindelijk besluit te verhuizen zodat ze dichter bij Britt zal wonen. Hun vriendschap is blijvend, wat er ook gebeurt. Die wetenschap geeft haar de moed om nog een nummer in te toetsen. Zenuwachtig wacht ze af.

'Met Mike…'

Aan zijn stem hoort ze al dat haar telefoontje niet gelegen komt. 'Waarom bel je me nu?' gaat hij verder. 'Je weet toch dat ik een optreden heb? We moeten zo beginnen. Kan ik je daarna terugbellen?'

'Nee, dat hoeft niet.' Ze voelt zich helder en rustig, een beetje overmoedig en gek genoeg ook een beetje gelukkig. 'Ik ben tot de conclusie gekomen dat het tussen ons niet werkt. Dat is jammer, maar we moeten ermee leren leven. Samen met Carlyn of een van je andere fans gaat jou dat vast beter lukken. Ik wens je veel geluk.'

'Doe nou niet zo flauw, Isabel. Is dat om gisteravond? Er is tussen Carlyn en mij niets gebeurd, ik zweer het je.' Zijn stem wordt vleiend. 'Ik ben toch alleen maar gek op jou? Dat weet je toch?'

'Dat verandert niets aan de zaak. We passen niet bij elkaar en dat zou ons later alleen maar ongelukkig maken. Veel succes vanavond en het ga je goed.'

Voordat hij kan reageren, schakelt ze haar telefoon uit, en hoewel haar hand beeft, voelt het als een overwinning. Ze heeft weer iets van haar zelfvertrouwen terug en dat heerlijke, opgewekte gevoel blijft hangen.

Haar glas staat nog op tafel. Ze drinkt de cola met kleine slokken en proeft net zo intens als ze haar vader even daarvoor zag doen.

Schemer is donker geworden. Ze staat op, knipt een lampje aan en sluit de gordijnen. Buiten is het stil.

Vermoeidheid overvalt haar en ze besluit naar bed te gaan. Morgen wacht haar weer een emotionele en intensieve dag.

Terwijl ze in de badkamer haar tanden poetst, verbaast ze zich omdat haar leven in vierentwintig uur zo is veranderd. Gisteren om deze tijd hoorde ze officieel nog bij Mike. In feite hebben ze nooit echt bij elkaar gehoord. Zij voelde zich gestreeld door zijn aandacht. Voor hem was ze de vrouw die niet

214

zo makkelijk te veroveren was en die hij toch graag wilde, ook al hoorde ze bij Bob.

Zal ze ooit weer bij Bob horen? Als een onverwachte gast flitst de vraag door haar heen, en ze weet dat ze niets liever wil.

Ze weet ook dat zij dan contact met Bob moet opnemen, met het risico dat hij niets meer van haar wil weten. Even beangstigt die gedachte haar, maar als ze het licht uitknipt en zachtjes naar de slaapkamer loopt, is ze ervan overtuigd dat ze dat risico zal durven lopen.

Als Dennis terugkomt, ligt Isabel al in bed. Zijn glas staat nog halfvol cola op tafel. Hij neemt een slok en gaat achter zijn computer zitten om foto's van zijn camera te importeren. Keurend bekijkt hij het resultaat van de opnames die hij vandaag heeft gemaakt: Britt en Isabel samen, Britt met een lach, een ernstig kijkende Britt, Isabel met Theo, en Theo alleen. Naar die laatste foto kijkt hij een hele tijd, vervuld van een geluksgevoel dat na zijn wandeling nog aanmerkelijk is toegenomen. Met Theo kan hij de wereld aan.

Samen met Theo zal het hem lukken om alle toekomstige problemen het hoofd te bieden. Theo... Theodora... Dennis en Theodora... Hij proeft de klank en geniet ervan.

Haar gezicht verdwijnt uit beeld en maakt plaats voor een foto van Isabel met Britt, die hij nam toen ze even uitpuften op het bankje achter Theo's huis. Britt had haar arm vriendschappelijk om Isabel heen geslagen, en de opname raakt hem omdat het eigenlijk een heel gewoon plaatje van twee zusjes is. Terwijl zijn printer de foto uitspuugt, bekijkt hij peinzend hun gezichten, de smalle glimlach van Britt, de brede lach van Isabel, waaruit de liefde voor elkaar spreekt. Kinderen van de vrouw die hij ooit met hart en ziel heeft liefgehad. Misschien draagt dat weten eraan bij dat ze sinds vandaag allebei als zijn dochters voelen.

Hij staat op, pakt het bedankkaartje met Christa's foto van het dressoir en zet er de foto van Isabel en Britt voor in de plaats.

Nog even kijkt hij heel intens naar Christa's gezicht, voordat hij het kaartje in een map in het dressoir opbergt.